Diogenes Tasc

Nicht schon wieder Essen!

Hinterhältige kulinarische Geschichten

Ausgewählt von Daniel Kampa

Diogenes

Nachweis am
Schluss des Bandes
Umschlagbild
von Michael Sowa

Originalausgabe

www.diogenes.ch
150/09/44/1
ISBN 978 3 257 24019 1

»Streng genommen
hat nur eine Sorte Bücher
das Glück unserer Erde
vermehrt: die Kochbücher.«

Joseph Conrad

Inhalt

Anton Čechov	*Sirenenklänge* 9
W. Somerset Maugham	*Die drei dicken Damen von Antibes* 20
Amélie Nothomb	*Biographie des Hungers* 47
Leon de Winter	*Hoffmans Hunger* 62
Anthony McCarten	*Tisch 3b* 74
John Irving	*Brennbars Fluch* 96
Urs Widmer	*Gratinierter Fisch* 110
T. C. Boyle	*Erbärmlicher Fugu* 125
Julian Barnes	*Ein kochender Spätzünder* 159
Paul Auster	*Zwiebelkuchen* 167
Jakob Arjouni	*Ringo* 174
Banana Yoshimoto	*Kitchen* 181
Patricia Highsmith	*Bekenntnisse einer ehrbaren Küchenschabe* 199
Ian McEwan	*Schokolade* 210
Martin Suter	*Das Schöne an der ›Rose‹* 222

Loriot *Spaghetti* 225
Hermann Harry Schmitz *Was mir an der Table d'hôte in der Sommerfrische passierte* 230
Donna Leon *Als ich zum ersten Mal Schafsauge aß* 230
Andrej Kurkow *Forelle à la tendresse* 245
Jaroslav Hašek *Gerettet* 284
Saki *Der wunde Punkt* 291
Ingrid Noll *Fisherman's Friend* 301
Doris Dörrie *Mit Messer und Gabel* 321

Nachweis 331

Anton Čechov

Sirenenklänge

Nach einer Sitzung des Friedensrichterplenums in N. versammelten sich die Richter im Beratungszimmer, um die Dienströcke abzulegen, einen Augenblick auszuruhen und dann zum Mittagessen nach Hause zu fahren. Der Vorsitzende des Plenums, ein äußerst stattlicher Mann mit weichem Backenbart, war in einer der eben verhandelten Angelegenheit bei seiner besonderen Meinung geblieben, saß am Tisch und schrieb diese Meinung rasch nieder. Der Bezirksfriedensrichter Milkin, ein junger Mann mit müdem, melancholischem Gesicht, der als Philosoph galt, mit der Umwelt nicht zufrieden war und nach einem Lebensziel suchte, stand am Fenster und blickte traurig auf den Hof. Der andere Bezirksfriedensrichter und der eine Ehrenrichter waren schon gegangen. Der zweite Ehrenrichter, ein aufgeschwemmter, keuchender Dicker, und der stellvertretende Staatsanwalt, ein junger Deutscher mit katarrhalischem Gesicht, saßen auf einem kleinen Sofa und warteten darauf, dass der Vorsitzende sein Schreiben beendete, um gemeinsam mit ihm zum Mittagessen zu fahren. Vor ihnen stand Žilin, der Sekretär des Plenums, ein kleines Männlein mit kurzen Backenbärtchen und genusssüchtiger Miene.

Er lächelte den Dicken honigsüß an und sagte mit gedämpfter Stimme: »Wir alle möchten jetzt gern essen, weil wir müde sind und die Uhr schon auf vier geht, doch das, Grigorij Savvič, mein Lieber, ist nicht der richtige Hunger. Den richtigen Wolfshunger, bei dem einem scheint, man könnte den eigenen Vater aufessen, hat man nur nach körperlicher Ausarbeitung, zum Beispiel nach einer Hetzjagd, oder wenn man hundert Verst, ohne zu rasten, mit Fuhrpferden zurückgelegt hat. Viel macht auch die Einbildungskraft aus. Wenn Sie, nehmen wir an, von einer Jagd nach Hause zurückkehren und mit Appetit Mittag zu essen wünschen, dann denken Sie nie an zu Hohes; das Hohe und das Gelehrte nehmen einem immer den Appetit. Philosophen und Gelehrte, das wissen Sie selber, sind, was das Essen betrifft, das Letzte unter den Menschen, und schlechter als sie, entschuldigen Sie, fressen nicht mal die Schweine. Wenn man nach Hause fährt, sollte man darauf achten, dass man nur an die Vodkakaraffe und den Imbiss denkt. Einmal habe ich unterwegs die Augen geschlossen und mir ein Ferkel mit Meerrettich vorgestellt – ich bekam vor lauter Appetit einen hysterischen Anfall. Ja, also, wenn Sie zu Hause in Ihren Hof einfahren, muss es, wissen Sie, aus der Küche nach irgendetwas duften…«

»Am besten riecht es von gebratenen Gänsen«, meinte, schwer atmend, der Ehrenrichter.

»Sagen Sie das nicht, Grigorij Savvič, mein Lieber, die Ente und die Schnepfe können der Gans zehn Punkte vorgeben. Im Bouquet der Gans fehlt Zartheit, fehlt Finesse. Am durchdringendsten riechen junge Zwiebeln, wissen Sie, wenn sie zu bräunen anfangen und das verflixte Brutzeln im ganzen Haus zu hören ist. Ja, also, wenn Sie das Haus betreten, muss der Tisch bereits gedeckt sein; Sie setzen sich, stecken die Serviette hinter die Binde und strecken die Hand hübsch gemächlich nach der Vodkakaraffe aus. Sie gießen ihn, diesen Herzenströster, nicht etwa in ein gewöhnliches Schnapsglas, sondern in einen vorsintflutlichen Silberbecher aus Großvaters Zeiten oder in so ein bauchiges Gläschen mit der Inschrift: ›Selbigen genehmigen auch die Mönche‹; und Sie trinken ihn auch nicht gleich, seufzen vielmehr, reiben sich die Hände, blicken gleichgültig zur Decke auf und führen ihn, also den Vodka, erst dann langsam an Ihre Lippen – sofort sprühen vom Magen aus Funken durch den ganzen Körper…«

Das genusssüchtige Gesicht des Sekretärs nahm einen Ausdruck von Seligkeit an.

»Funken ...«, wiederholte er und blinzelte. »Sobald Sie ausgetrunken haben, müssen Sie etwas nachessen.«

»Hören Sie«, sagte der Vorsitzende und sah zu dem Sekretär auf, »bitte nicht so laut! Ich habe Ihretwegen bereits das zweite Blatt verpfuscht.«

»Oh, Verzeihung, Pëtr Nikolaič! Ich spreche nur noch ganz leise«, entgegnete der Sekretär und fuhr halblaut fort: »Ja, also, auf den Imbiss, Grigorij Savvič, mein Lieber, oder besser gesagt den Zubiss, muss man sich ebenfalls verstehen. Man muss wissen, was man wählt. Der beste Zubiss bleibt, wenn Sie es wissen wollen, der Hering. Sie essen also ein Stück Hering mit Zwiebeln und Senfsoße nach, und zwar sofort, mein Bester, solange noch im Magen die Funken sprühen, dann Kaviar ohne alles oder, wenn Sie es mögen, mit Zitrone, dann ganz gewöhnlichen Rettich mit Salz und schließlich wieder Hering; das Beste aber sind und bleiben gesalzene Reizker, klein gewiegt wie Kaviar und, wissen Sie, mit Zwiebeln und Olivenöl angerichtet ... hinreißend! Oder auch Quappenleber – geradezu eine Tragödie!«

»Hm, ja ...«, pflichtete der Ehrenrichter ihm bei und blinzelte. »Ein guter Zubiss sind ... na ... auch geschmorte Steinpilze.«

»Ja, ja, ja … mit Zwiebeln, wissen Sie, Lorbeer und allerlei anderen Spezereien. Man nimmt den Deckel von der Kasserolle, und mit dem Dampf steigt auch der Pilzgeruch auf … da kommen einem manchmal geradezu die Tränen! Nun ja, sobald man also aus der Küche die Pastete bringt, ist also gleich und unverzüglich der zweite Vodka fällig.«

»Ivan Gurjič!«, sagte mit weinerlicher Stimme der Vorsitzende. »Ich habe Ihretwegen nun schon das dritte Blatt verpfuscht!«

»Weiß der Teufel – er denkt an weiter nichts als das Essen!«, brummte der Philosoph Milkin und schnitt eine verächtliche Grimasse. »Haben Sie denn keine anderen Interessen als Pilze und Pasteten?«

»Ja, also, vor der Pastete wird jedenfalls einer getrunken«, fuhr mit gedämpfter Stimme der Sekretär fort; er war bereits so in Fahrt, dass er nichts mehr außer der eigenen Stimme hörte – wie eine singende Nachtigall. »Die Pastete muss appetitlich sein, schamlos wie eine nackte Schöne, damit Sie der Versuchung nicht widerstehen. Man zwinkert ihr zu, schneidet sich ein gehöriges Stück ab und bewegt im Überschwang der Gefühle so ein bisschen die Finger. Man macht sich über sie her, und die Butter quillt aus ihr hervor – gleich Tränen; die Füllung aber ist fett, aus Eiern, Innereien, Zwiebeln …«

Der Sekretär verdrehte die Augen, sein Mund verzog sich bis zu den Ohren. Der Ehrenrichter räusperte sich, sah offenbar die Pastete vor sich und bewegte ein wenig die Finger.

»Das ist ja nicht zum Aushalten«, knurrte der Bezirksfriedensrichter und ging ans andere Fenster.

»Sie essen zwei Stück und heben das dritte für die Kohlsuppe auf«, fuhr der Sekretär begeistert fort. »Gleich nach der Pastete lassen Sie die Kohlsuppe auftragen, damit der Appetit nicht vergeht... die Kohlsuppe muss heiß sein, dass man sich den Mund verbrüht. Noch besser jedoch, mein Guter, ist ein Boršč auf ukrainische Art, mit Schinken und Würstchen. Dazu leicht gesäuerte Sahne, frische Petersilie und Dill. Etwas ganz Ausgezeichnetes ist auch Rassolnik aus sauren Gurken mit Innereien und jungen Nierchen; wenn Sie indessen eine klare Suppe vorziehen, so ist da wohl die mit den vielerlei Gemüsen und Küchengewächsen die beste – mit Mohrrüben, Blumenkohl, Spargel und allerlei sonstiger Jurisprudenz.«

»Ja, eine famose Sache...«, seufzte der Vorsitzende und sah von seinen Papieren auf, besann sich aber sogleich und stöhnte: »Schämen Sie sich! Auf diese Weise bekomme ich meine besondere Meinung nicht vor dem Abend fertig! Jetzt ist schon das vierte Blatt verpfuscht!«

»Ich tu's nicht wieder, ich tu's nicht wieder! Verzeihen Sie mir!«, entschuldigte sich der Sekretär und fuhr im Flüsterton fort: »Sobald Sie den Boršč oder die Suppe gegessen haben, lassen Sie den Fisch kommen, mein Guter. Das Beste vom ganzen stummen Reich der Fische ist eine gebratene Karausche in Sahne; nur muss man sie, damit sie den Schlammgeruch verliert und der feine Geschmack zur Geltung kommt, einen ganzen Tag lebend in Milch halten.«

»Nicht schlecht ist auch ein kleiner Sterlet, ringförmig angerichtet«, meinte der Ehrenrichter und schloss die Augen, sprang jedoch gleich darauf überraschend auf, machte ein bestialisches Gesicht und brüllte zum Vorsitzenden hinüber: »Pëtr Nikolaič, wann sind Sie denn so weit? Ich kann nicht länger warten! Ich kann nicht!«

»Lassen Sie mich zu Ende kommen!«

»Also gut, dann fahre ich allein! Hol Sie der Teufel!«

Der Dicke winkte ab, ergriff seinen Hut und stürzte, ohne sich zu verabschieden, aus dem Zimmer. Der Sekretär seufzte, beugte sich zum Ohr des stellvertretenden Staatsanwalts vor und fuhr gedämpft fort: »Etwas Gutes ist auch Zander oder Karpfen mit einer Soße aus Pilzen und Tomaten. Aber von Fisch wird man nicht satt, Stepan Francyč, das ist als Nahrung unwesentlich, die Hauptsache am Mittagessen sind nicht der Fisch und nicht die Soßen, sondern der Braten. Welches Geflügel bevorzugen Sie?«

Der stellvertretende Staatsanwalt zog ein saures Gesicht und entgegnete seufzend:

»Zu meinem Unglück kann ich nicht mitfühlen – ich habe einen Magenkatarrh.«

»Ich bitte Sie, mein Herr! Den Magenkatarrh haben sich die Doktoren ausgedacht. Diese Krankheit kommt meistens von der Freidenkerei und vom Stolz. Beachten Sie sie nicht. Nehmen wir an, Sie haben keinen Hunger oder Ihnen ist nicht wohl – beachten Sie es nicht, und essen Sie einfach. Wenn man Ihnen als Braten zum Beispiel Sumpfschnepfen vorsetzt, dazu vielleicht ein Rebhuhn oder fette Wachteln, dann vergessen Sie jeden Katarrh, mein heiliges Ehrenwort! Und Putenbraten! So eine Pute, wissen Sie, weiß, fett und saftig wie eine Nymphe…«

»Ja, das schmeckt sicherlich gut«, sagte der stellvertretende Staatsanwalt mit traurigem Lächeln. »Pute würde ich vielleicht essen.«

»Herrgott, und Ente? Man nimmt eine junge Ente, die gerade vom ersten Frost berührt worden ist, und brät sie auf der Pfanne mit Kartoffeln, wobei aber die Kartoffeln kleingeschnitten sein müssen, damit sie sich mit Entenfett vollsaugen…«

Der Philosoph Milkin machte ein bestialisches Gesicht und wollte offenbar etwas sagen, schmatzte aber plötzlich mit den Lippen – wahrscheinlich stellte er sich die gebratene Ente vor –, ergriff, von einer unbekannten Macht getrieben, ohne ein Wort zu sagen, den Hut und eilte davon.

»Ja, auch ein Stück Ente würde ich wohl essen…«, seufzte der stellvertretende Staatsanwalt.

Der Vorsitzende erhob sich, ging einmal im Zimmer auf und ab und setzte sich wieder.

»Nach dem Braten pflegt der Mensch satt zu sein, und ihn überkommt eine selige Schläfrigkeit«, fuhr der Sekretär fort. »In solchen Augenblicken fühlt man sich nicht nur körperlich wohl, auch das Herz ist gerührt. Hier können Sie sich zur Erquickung an zwei oder drei Gläschen Gewürzbranntwein laben.«

Der Vorsitzende räusperte sich und strich die Seite durch.

»Ich habe jetzt das sechste Blatt verpfuscht«, sagte er ärgerlich. »Das ist gewissenlos von Ihnen!«

»Schreiben Sie nur, schreiben Sie!«, flüsterte der Sekretär. »Ich tu's nicht wieder! Ich bin ganz leise! Hand aufs Herz, Stepan Francyč«, raunte er kaum noch hörbar, »ein hausgemachter Gewürzbranntwein ist besser als jeder Champagner. Gleich nach dem ersten Gläschen überkommt Sie eine Fata Morgana von Düften und Gerüchen, und Ihnen scheint, Sie sitzen nicht zu Hause in Ihrem Sessel, sondern irgendwo in Australien auf einem wunderbar weich dahinschaukelnden Strauß…«

»So fahren wir doch endlich, Pëtr Nikolaič!«, sagte der stellvertretende Staatsanwalt und zuckte ungeduldig mit dem Bein.

»Jaa«, fuhr der Sekretär fort. »Höchst angenehm ist es auch, eine Zigarre zu rauchen und Ringe in die Luft zu blasen, während man seinen Gewürzbranntwein trinkt – da kommen Ihnen dann allerlei phantastische Gedanken, zum Beispiel – Sie seien Generalissimus oder mit der Schönsten der Schönen verheiratet und sie, diese Schönste der Schönen, schwimme den ganzen Tag vor Ihrem Fenster in einem Goldfifischbassin umher. Sie schwimmt umher, Sie aber sagen: ›Komm, Herzchen, küsse mich!‹«

»Pëtr Nikolaič!«, stöhnte der stellvertretende Staatsanwalt.

»Jaa«, fuhr der Sekretär fort. »Nachdem Sie also geraucht haben, nehmen Sie die Schöße Ihres Morgenrocks zusammen und – ab ins Bettchen! Sie legen sich auf den Rücken, mit dem Bäuchlein, wissen Sie, nach oben, und greifen zur Zeitung. Wenn Ihnen die Augen zufallen wollen und Sie der

Schlummer überkommt, ist Politik eine sehr angenehme Lektüre – da hat, schau einer an, Österreich einen Fehler begangen, da Frankreich jemanden verstimmt oder der Papst in Rom wider den Stachel gelöckt. Man liest es, und irgendwie tut's wohl.«

Der Vorsitzende sprang auf, warf den Federhalter beiseite und griff mit beiden Händen nach dem Hut. Der stellvertretende Staatsanwalt vergaß, vor Ungeduld schon ganz außer sich, seinen Katarrh und sprang ebenfalls auf.

»Fahren wir!«, rief er.

»Pëtr Nikolaič, was wird nun aus der besonderen Meinung?« Der Sekretär erschrak. »Wann werden Sie sie niederlegen, Verehrter? Sie müssen doch um sechs schon wieder in der Stadt sein!«

Der Vorsitzende winkte nur ab und stürzte zur Tür. Der stellvertretende Staatsanwalt folgte seinem Beispiel, ergriff die Aktentasche und verschwand zugleich mit ihm. Der Sekretär seufzte, sah ihnen vorwurfsvoll nach und räumte die Papiere ein.

W. Somerset Maugham

Die drei dicken Damen von Antibes

Die erste war Witwe und hieß Mrs. Richman; die zweite, eine zweifach geschiedene Amerikanerin, hieß Mrs. Sutcliffe, und die dritte – unverheiratet – Miss Hickson. Sie alle waren in die behaglichen Vierziger vorgerückt und besaßen viel Geld. Mrs. Sutcliffe hörte auf den ausgefallenen Vornamen Arrow. Als sie noch schlank und knusprig war, mochte sie den ›Pfeil‹ gut leiden, das passte zu ihr, verlockte zu etwas allzu häufigen, doch sehr schmeichelhaften Scherzen und entsprach, wie sie sich einredete, auch ihrem geradlinigen, schnellen und zielbewussten Naturell. Jetzt schätzte sie Arrow weniger, seit ihre zarten Züge auseinanderliefen, Arme und Brüste sich mächtig rundeten und ebenso die gewichtigen Hüften. Es wurde zunehmend schwierig, ein Kleid zu finden, in dem sie so aussah, wie sie aussehen wollte, die Witzeleien über ihren Namen machte man nun hinter ihrem Rücken, und sie wusste genau, wie wenig schmeichelhaft sie waren. Aber sie fühlte sich durchaus noch in den besten Jahren. Sie trug unverdrossen Blau, um die Farbe ihrer Augen zu betonen, und ihr blondes Haar behielt dank aufwendiger Pflege seinen leuchtenden Glanz. An Beatrice Richman und Frances Hickson gefiel ihr vor allem der bedeutend größere Umfang der beiden, neben ihnen wirkte sie doch sehr schlank; auch waren beide älter und behandelten Mrs. Sutcliffe gern wie ein junges Dingelchen, was ihr nicht unangenehm war. Gutmütig neckten sie sie mit ihren Verehrern, beide verschwendeten nämlich keinen Gedanken an diesen Unfug, ja, Miss Hickson hatte ihn nie in Betracht gezogen; doch Arrows Flirts verfolgten sie mit Wohlwollen und glaubten fest daran, dass sie in allernächster Zeit einen dritten Mann beglücken würde.

»Du darfst aber nicht zunehmen, Schatz«, sagte Mrs. Richman.

»Und prüfe um Himmels willen sein Bridge!«, mahnte Miss Hickson.

Sie sahen sie mit einem gut erhaltenen, distinguierten Fünfziger, einem Admiral a.D., der blendend Golf spielte, oder einem Witwer ohne Anhang, aber ein solides Einkommen wurde in jedem Fall vorausgesetzt. Liebenswürdig hörte Arrow ihnen zu und erwähnte mit keinem Wort, dass sie sich alles ganz anders vorstellte. Gewiss, sie wollte gerne wieder heiraten, doch ihre Phantasie wandte sich einem schlanken Italiener mit blitzenden Augen und klingendem Titel zu oder einem spanischen Aristokraten, keinen Tag älter als dreißig. Ein Blick in den Spiegel überzeugte sie von Zeit zu Zeit, auch sie sehe keinen Tag älter aus.

Miss Hickson, Mrs. Richman und Arrow Sutcliffe waren gute Freundinnen; ihr Gewicht hatte sie zusammengeführt und Bridge ihre Verbindung gefestigt. In Karlsbad hatten sie sich kennengelernt, wo sie im gleichen Hotel wohnten und vom gleichen Arzt mit der gleichen Herzlosigkeit behandelt wurden. Beatrice Richman, eine überwältigend dicke, doch hübsche Frau mit großen Augen, geschminkten Wangen und nachgezogenen Lippen, war mit ihrem Witwenstand und einem ansehnlichen Vermögen vollauf zufrieden. Sie aß furchtbar gern und liebte Butterbrot, Sahne, Kartoffeln und Pudding. Elf Monate im Jahr gönnte sie sich einfach alles, worauf sie Lust hatte, dann ging sie vier Wochen nach Karlsbad, um abzumagern. Doch sie nahm Jahr für Jahr zu. Sie beschimpfte ihren Arzt, der kein Mitgefühl zeigte, sondern sie auf ein paar augenfällige und simple Tatsachen hinwies.

»Wenn mir alles verboten wird, was ich mag, ist das Leben nicht lebenswert«, widersprach sie ihm.

Missbilligend zuckte er die Achseln. Nachher

vertraute sie Miss Hickson an, sie schöpfe langsam den Verdacht, der Arzt sei doch nicht so tüchtig, wie sie gemeint habe. Miss Hickson brach in ein donnerndes Gelächter aus – das war so ihre Art. Sie besaß einen Bass und ein bleiches Vollmondgesicht, in dem zwei muntere Äuglein blitzten, lief lässig, die Hände in den Taschen, herum und rauchte eine dicke Zigarre, wenn es sich ohne Aufsehen machen ließ. So weit wie möglich zog sie sich wie ein Mann an.

»Zum Teufel, was soll ich in Rüschen und Volants?«, dröhnte sie. »Bei meinem Umfang kann man es ebenso gut bequem haben.«

Sie trug Tweed und schwere Stiefel und verzichtete auf eine Kopfbedeckung. Außerdem war sie stark wie ein Pferd und behauptete, nur wenige Männer überträfen beim Golf ihren langen Schlag. Sie sagte, was sie dachte, und sie fluchte besser als ein Stallknecht. Obwohl sie eigentlich Frances hieß, ließ sie sich lieber Frank nennen. Mit fester Hand, doch nicht ohne Feingefühl, hielt sie durch ihren starken und geselligen Charakter das Grüppchen zusammen: Sie tranken gemeinsam ihr Wasser, badeten zur selben Zeit, wanderten energisch zusammen los, stapften zu dritt auf dem Tennisplatz herum mit einem Lehrer, der sie in Bewegung setzen musste, und verzehrten am selben Tisch ihre kärgliche Diät. Nichts trübte ihre Heiterkeit außer dem Zeiger der Waage, und wenn eine der drei von einem Tag zum andern kein Gramm abgenommen hatte, vermochten weder Franks deftige Witze noch Beatrices Gutmütigkeit oder Arrows neckische Verspieltheiten die schwarzen Wolken zu vertreiben. Dann wurden drastische Maßnahmen ergriffen: Die Schuldige legte sich für vierundzwanzig Stunden ins Bett, und keine Nahrung kam über ihre Lippen mit Ausnahme der berühmten Gemüsesuppe ihres Arztes – sie schmeckte wie heißes Wasser, in dem man gründlich Kohl gewaschen hatte.

Die drei waren die dicksten Freunde und von niemandem abhängig, allein zum Bridge benötigten sie einen vierten ›Mann‹. Sobald sie jeden Tag ihre Kur überstanden hatten, setzten sie sich leidenschaftlich und begeistert an den Bridgetisch. Arrow, ganz Frau, spielte am besten von ihnen: brillant und grausam. Rücksichtslos nutzte sie jeden Fehler aus und gab keinen einzigen Punkt preis. Beatrice war solid und zuverlässig, Frank ein Draufgänger. Als große Theoretikerin schüttelte sie alle maßgebenden Lehrmeinungen nur so aus dem Ärmel. Zu dritt erhitzten sie sich über die verschiedenen Systeme und warfen mit Culbertson und Sims um sich. Selbstverständlich spielte keine von ihnen je eine Karte ohne fünfzehn triftige

Gründe, und ebenso selbstverständlich ergab sich aus der folgenden Diskussion, dass fünfzehn gleich triftige Gründe gegen diese Karte sprachen. Obwohl vierundzwanzig Stunden mit der grauenvollen Suppe drohten, sobald die ›abscheuliche‹ (Beatrice), ›verdammte‹ (Frank), ›dumme‹ (Arrow) Waage beim Arzt einen Tag lang keinen Gewichtsverlust anzeigte, hätten sie herrlich und in Freuden gelebt, wäre nur nicht dieses ewige Problem gewesen, einen ebenbürtigen vierten Bridgespieler aufzutreiben.

Darum lud Frank Lena Finch ein, zu ihnen zu kommen, und von diesem Besuch handelt unsere Geschichte. Es war Franks Idee gewesen, zu dritt ein paar Wochen in Antibes zu verbringen. Als eine verständige Person fand sie es nämlich absurd, wenn Beatrice, die während ihrer Abmagerungskur stets zwanzig Pfund verlor, mit ihrem unbezähmbaren Heißhunger sofort alles wieder aufholte, weil sie allein allen Gelüsten erlag. Sie brauchte eben jemanden mit einem starken Willen, der ihre Diät überwachte. Nach ihrem Karlsbader Aufenthalt, meinte Frank, sollten sie also ein Haus in Antibes mieten, wo sich reichlich Gelegenheit zu Sport biete – nichts macht bekanntlich so schlank wie Schwimmen – und sie ihre Kur fortsetzen könnten. Mit einer eigenen Köchin ließen sich zumindest alle eindeutig zu schweren Gerichte vermeiden.

Und warum sollten sie nicht ein paar zusätzliche Pfunde verlieren? Den beiden anderen leuchtete das ein. Beatrice wusste, was ihr guttat, und widerstand einer Versuchung, wenn sie nicht gerade vor ihrer Nase lag. Auch liebte sie Roulette – zwei- bis dreimal die Woche ein Spielchen im Casino würde den Aufenthalt recht vergnüglich gestalten. Und Arrow schwärmte für Antibes. Nach vier Wochen Karlsbad sah sie äußerst vorteilhaft aus und erwartete nur die Qual der Wahl unter all den jungen Italienern, leidenschaftlichen Spaniern, ritterlichen Franzosen und langgliedrigen Engländern, die sich den ganzen Tag in Badehosen und bunten Bademänteln tummelten. Franks Plan verwirklichte sich aufs schönste: Sie amüsierten sich großartig, aßen zweimal in der Woche bloß harte Eier und rohe Tomaten und stiegen jeden Morgen leichten Herzens auf die Waage. Arrow wog nur hundertfünfzig Pfund und fühlte sich wie ein junges Mädchen, während Beatrice und Frank gerade unter hundertachtzig blieben, wenn sie auf eine bestimmte Stelle traten. Sie hatten sich eine Waage gekauft, die Kilogramm anzeigte, und entwickelten eine außerordentliche Geschicklichkeit, ihr Gewicht blitzschnell in englische Pfund und Unzen umzurechnen.

Nur der fehlende Bridgepartner bildete immer noch das ungelöste Problem. Der eine spielte wie ein Anfänger, der zweite trödelte zum Verzweifeln, der dritte suchte Händel, der vierte konnte nicht verlieren, und der fünfte schwindelte sozusagen. Es war merkwürdig schwierig, den richtigen Mitspieler zu finden.

Als sie eines Morgens auf der Terrasse mit Blick aufs Meer frühstückten – Tee (ohne Milch und Zucker) und Dr. Hudeberts Zwieback, der garantiert nicht dick machte –, schaute Frank von ihrer Post auf.

»Lena Finch fährt an die Riviera«, teilte sie mit.

»Wer ist das?«, erkundigte sich Arrow.

»Eine angeheiratete Kusine von mir. Mein Vetter ist vor ein paar Monaten gestorben, und sie erholt sich soeben von einem Nervenzusammenbruch. Sollen wir sie für vierzehn Tage einladen?«

»Spielt sie Bridge?«, fragte Beatrice.

»Und wie«, polterte Frank, »verdammt gut sogar. Wir wären ganz unabhängig von Außenstehenden.«

»Wie alt ist sie?«, wollte Arrow wissen.

»So alt wie ich.«

»Gut.«

Der Vorschlag wurde angenommen. Gleich nach dem Frühstück zog Frank mit gewohnter Entschlossenheit los, um ein Telegramm aufzugeben, und drei Tage später traf Lena Finch ein. Frank holte sie am Bahnhof ab. Sie war in tiefer, doch nicht aufdringlicher Trauer. Frank, die sie zwei Jahre lang nicht gesehen hatte, küsste ihre Kusine herzlich und schaute sie forschend an.

»Du bist sehr schmal geworden«, sagte sie.

Lena lächelte tapfer.

»Ich habe in der letzten Zeit einiges durchgemacht.«

Frank seufzte, ob aus Mitgefühl über den betrüblichen Verlust, den ihre Kusine erlitten hatte, oder aus Neid, bleibe dahingestellt.

Lena war glücklicherweise nicht über Gebühr bedrückt, und nach einem kurzen Bad zeigte sie sich gerne bereit, Frank ins Hotel Eden Roc zu begleiten. Dort stellte Frank den Neuankömmling ihren beiden Freundinnen vor, und sie setzten sich in den ›Affenkäfig‹, die glasüberdachte Terrasse, die aufs Meer hinausging und im Hintergrund eine Bar besaß. Schwatzend drängten sich die Leute in Badeanzügen, Strandkleidern oder Bademänteln und tranken an kleinen Tischchen ihren Aperitif. Beatrices weiches Herz schlug mitfühlend der einsamen Witwe entgegen, und Arrow, im Bewusstsein, dass die andere bleich und recht durchschnittlich aussah und höchstwahrscheinlich achtundvierzig Jahre alt war, wollte sie sehr gernhaben.

Ein Ober steuerte auf sie zu.

»Was möchtest du trinken, Lena?«, fragte Frank.

»Ich weiß nicht recht, das Gleiche wie ihr, einen Martini Dry oder eine White Lady.«

Arrow und Beatrice warfen ihr einen schnellen Blick zu.

Man weiß doch, wie dick Cocktails machen!

»Du bist sicher abgespannt von der Reise«, sagte Frank freundlich und bestellte einen Martini Dry für Lena, für sich und ihre beiden Freundinnen aber Orangensaft mit Zitrone. »Bei dieser Hitze halten wir Alkohol nicht für sehr zuträglich«, erklärte sie.

»Mir bekommt er«, entgegnete Lena munter. »Ich mag Cocktails.«

Arrow erbleichte leicht unter ihrem Rouge (weder sie noch Beatrice benetzten beim Baden je ihr Gesicht, und die beiden fanden es albern, dass Frank bei ihrem Umfang sich als Taucherin gebärdete), doch sie schwieg. Leicht und lebhaft plätscherte das Gespräch dahin, sie unterhielten sich angeregt über nahe liegende Dinge und bummelten dann gemütlich in ihre Villa zum Mittagessen.

In jeder Serviette steckten zwei kleine Stücke Diätzwieback. Mit strahlendem Lächeln legte Lena sie beiseite.

»Kann ich eine Scheibe Brot haben?«, fragte sie.

Eine handfeste Unanständigkeit hätte die Ohren

der drei Damen nicht so schockiert wie dieses Ansinnen. Seit zehn Jahren hatten sie keinen Bissen Brot zwischen den Zähnen gehabt, sogar die anfällige Beatrice machte hier einen Punkt. Frank, als gute Gastgeberin, fasste sich zuerst.

»Natürlich«, antwortete sie, wandte sich zum Butler und bestellte Brot.

»Und bitte etwas Butter«, rief Lena mit der ihr eigenen charmanten Unbefangenheit.

Einen Augenblick herrschte verlegenes Schweigen.

»Ich weiß nicht, ob überhaupt Butter im Haus ist«, sagte Frank, »vielleicht in der Küche, ich werde mal fragen.«

»Ein Butterbrot ist etwas Herrliches, finden Sie nicht auch?«, wandte Lena sich an Beatrice.

Mit mattem Lächeln murmelte diese ein paar ausweichende Worte. Der Butler brachte ein großes Stück knuspriges Baguette, das Lena zerteilte und fingerdick mit der wie durch ein Wunder aufgetauchten Butter bestrich. Gegrillte Seezunge wurde serviert.

»Wir essen sehr einfach«, erklärte Frank, »hoffentlich stört es dich nicht.«

»Nicht im Geringsten, ich bin sehr für eine solide bürgerliche Küche«, sagte Lena, während sie ein Stück Butter auf ihrem Fisch zergehen ließ. »Mit

Brot und Butter, Kartoffeln und Sahne bin ich völlig zufrieden.«

Die drei Freundinnen tauschten einen Blick. Franks Mondgesicht erschlaffte, als sie voll Widerwillen die trockene, fade Seezunge auf ihrem Teller betrachtete. Beatrice sprang in die Bresche.

»Leider gibt es hier keine Sahne, darauf muss man an der Riviera eben verzichten.«

»Wie schade«, meinte Lena bedauernd.

Der nächste Gang bestand aus Lammkoteletts, deren Fett man sorgfältig entfernt hatte, um Beatrice nicht auf die Probe zu stellen, und in Wasser gedämpften Spinat. Zum Nachtisch gab es Birnenkompott. Lena kostete einen Löffel und blickte fragend zum Butler hinüber. Der hilfreiche Mann verstand sofort und reichte ihr ohne Zögern eine volle Zuckerschale, obwohl sie an diesem Tisch noch nie verlangt worden war. Lena bestreute ihr Kompott großzügig – die drei anderen schienen es nicht zu bemerken. Als der Kaffee serviert wurde, versenkte sie drei Stück Zucker in ihre Tasse.

»Sie sind aber eine Süße.« Arrow bemühte sich angestrengt um einen freundlichen Tonfall.

»Unserer Meinung nach ist Sacharin viel wirkungsvoller«, belehrte Frank Lena, während sie eine winzige Tablette in ihren Kaffee warf.

»Scheußliches Zeug.«

Beatrice ließ die Mundwinkel hängen, sehnsüchtig schielte sie nach der Zuckerdose.

»Beatrice!«, warnte Frank.

Da unterdrückte Beatrice einen Seufzer und griff nach dem Sacharin.

Frank atmete auf, als sie sich an den Bridgetisch setzten. Der erste Rubber brachte Arrow und den neuen Gast zusammen.

»Nach welchem System spielen Sie, Vanderbilt oder Culbertson?«, fragte Arrow.

»Nach keinem«, antwortete Lena unbeschwert, »ich folge der Stimme der Natur.«

»Ich halte mich genau an Culbertson«, bemerkte Arrow säuerlich.

Die drei dicken Damen wappneten sich zum Kampf. Kein System! Wahrlich, sie würden ihr's schon zeigen. Beim Bridge erkannte sogar Frank keine Familienbande mehr an, und sie rüstete sich mit der gleichen Entschlossenheit wie die beiden anderen, um den Fremdling in ihrer Mitte zu ducken. Doch die Stimme der Natur ließ Lena nicht im Stich. Sie besaß ein angeborenes Talent für Bridge und große Erfahrung, sie spielte schnell und kühn, sicher und phantasievoll, und die drei Freundinnen waren viel zu routiniert, um das nicht sehr bald zu erfassen. Großmütig und edel, wurden sie nach und nach milder gestimmt. Das nannte man Bridge! Alle genossen es in vollen Zügen. Arrow und Beatrice begannen, sich für Lena zu erwärmen, was Frank einen dicken Seufzer der Erleichterung entlockte. Der Besuch würde doch ein Erfolg!

Nach ein paar Stunden trennte man sich: Frank und Beatrice planten eine Runde Golf, Arrow einen anregenden Spaziergang mit einem Fürsten Roccamare, den sie erst kürzlich kennengelernt hatte. Er war sehr jung, ganz reizend und sah blendend aus. Lena wollte sich etwas hinlegen.

Vor dem Abendessen trafen sie wieder zusammen.

»Hoffentlich hast du dich nicht gelangweilt«, wandte sich Frank an Lena, »ich hatte ein furchtbar schlechtes Gewissen, dass ich dich so lange allein ließ.«

»Du brauchst dich nicht zu entschuldigen. Ich habe wundervoll geschlafen und dann im Juan unten einen Cocktail getrunken. Und weißt du, was ich entdeckt habe? Das freut dich bestimmt! Einen süßen kleinen Laden, wo es ganz frisch die schönste dicke Sahne gibt. Ich habe für jeden Tag einen Viertelliter bestellt. Das soll mein bescheidener Beitrag zum Haushalt sein.«

Lena strahlte. Offensichtlich dachte sie, die anderen würden entzückt sein.

»Wie lieb von dir«, dankte Frank mit einem Blick, der die Entrüstung auf dem Gesicht der Freundinnen zu beschwichtigen suchte, »aber wir verzichten auf Sahne. In diesem Klima hier schlägt sie einem auf die Galle.«

»Dann muss ich die Sahne ja ganz allein essen«, meinte Lena vergnügt.

»Denken Sie nie an Ihre Figur?«, fragte Arrow voll eiskalter Berechnung.

»Der Arzt riet mir, ich müsse essen.«

»Brot und Butter, Kartoffeln und Sahne?«

»Ja. Ich dachte, das meinten Sie, als Sie von einfachem Essen sprachen.«

»Da werden Sie ja zur Kugel«, sagte Beatrice.

Lena lachte fröhlich.

»Keineswegs. Sehen Sie, ich werde einfach nicht dick. Ich habe immer gegessen, was mir Spaß machte, und kein einziges Gramm zugenommen.«

Die Grabesstille, die diesen Worten folgte, wurde erst durch das Eintreten des Butlers unterbrochen.

»Mademoiselle est servie«, verkündete er.

Sie besprachen den Fall in Franks Zimmer, nachdem Lena zu Bett gegangen war. Den ganzen Abend hatten sie sich verbissen von der heitersten Seite gezeigt und sich so herzlich geneckt, dass auch der schärfste Beobachter darauf hereingefallen wäre. Aber jetzt ließen sie die Maske fallen:

Beatrice schmollte, Arrow war gehässig und Frank mutlos.

»Es ist nicht angenehm, bei Tisch zusehen zu müssen, wie sie all das in sich hineinstopft, was ich besonders gerne mag«, sagte Beatrice.

»Es ist für uns alle nicht angenehm«, fuhr Frank auf.

»Du hättest sie eben nicht einladen sollen«, warf Arrow ein.

»Das konnte ich ja nicht wissen.«

»Ich bin der Meinung, wenn sie ihren Mann wirklich geliebt hätte, würde sie jetzt kaum so viel essen«, sagte Beatrice, »er ist doch erst vor zwei Monaten gestorben. Man sollte vor den Toten ein bisschen Respekt haben.«

»Warum kann sie nicht das Gleiche essen wie wir?«, fragte Arrow giftig. »Sie ist unser Gast.«

»Du hast doch gehört, was sie erzählte. Der Arzt hat ihr verordnet, sie müsse essen.«

»Dann soll sie in ein Sanatorium.«

»Frank, das hält kein Mensch aus«, jammerte Beatrice.

»Wenn ich es aushalte, kannst du es auch.«

»Sie ist deine Kusine, nicht unsere«, bemerkte Arrow. »Und ich will nicht vierzehn Tage dieser Frau gegenübersitzen, die sich mästet wie ein Schwein.«

»Ich finde es schrecklich ordinär, das Essen so wichtig zu nehmen«, donnerte Frank mit ihrem allertiefsten Bass, »der Mensch ist doch vor allem ein geistiges Wesen.«

»Frank, findest du mich ordinär?«, fragte Arrow mit blitzenden Augen.

»Natürlich nicht«, begütigte Beatrice.

»Ich halte es durchaus für möglich, dass du in die Küche schleichst und dich heimlich vollfutterst, wenn wir im Bett sind.«

Frank sprang auf.

»Arrow, wie kannst du nur! Ich verlange nichts, was ich nicht selber auch leiste. Nach all den Jahren, die wir uns jetzt kennen, traust du mir eine solche Gemeinheit zu?«

»Und warum nimmst du nie ab?«

Frank schnaufte schwer und brach in Tränen aus.

»Wie grausam von dir. Ich bin doch zahllose Pfunde losgeworden!«

Sie heulte wie ein Kind, ihr gewaltiger Körper bebte, und große Tränen kullerten auf ihr Busengebirge.

»Liebes, ich hab's nicht so gemeint«, rief Arrow.

Sie warf sich auf die Knie und umfing mit ihren mächtigen Armen, was sie von Frank halten konnte. Auch ihr liefen Tränen, mit Mascara vermischt, die Wangen hinab.

»Glaubst du, ich sei nicht schlanker geworden?«, schluchzte Frank. »Nachdem ich so viel durchgestanden habe?«

»Doch, Frank, ganz bestimmt«, gab Arrow schniefend zu. »Das fällt doch jedem auf.«

Sogar die sonst recht phlegmatische Beatrice begann, leise vor sich hin zu wimmern. Es war alles so schrecklich traurig, und nur ein Herz aus Stein hätte ungerührt bleiben können, wenn Frank, diese Löwin, sich die Augen ausweinte. Aber bald trockneten die drei ihre Tränen und stärkten sich mit einem Cognac-Soda, dem für ihre Linie unschädlichsten Mix-Getränk, wie ihnen jeder Arzt versichert hatte, und fühlten sich danach viel munterer. Sie beschlossen, Lena das gute Essen zu gönnen, und gelobten einander feierlich, mit ungetrübtem Seelenfrieden dabeizusitzen. Schließlich war sie unbestreitbar eine erstklassige Bridgespielerin, und vierzehn Tage gingen auch vorbei, und sie wollten alles tun, um Lena die Ferien so angenehm wie möglich zu gestalten. Nach einem herzlichen Gutenachtkuss trennten sich die drei seltsam beschwingt: Nichts sollte ihre schöne Freundschaft stören, die ihr Leben mit so viel Glück erhellt hatte.

Aber der Mensch ist schwach, und man darf nicht zu viel von ihm verlangen. Sie aßen gegrillten Fisch, während sich vor Lena brutzelnde Makkaroni mit

Butter und Käse auftürmten; sie aßen gegrillte Kalbsschnitzel, während Lena sich ihrer Gänseleber widmete; zweimal wöchentlich aßen sie harte Eier mit rohen Tomaten, während Lena sich an Erbsen in Sahnesauce und vielen delikaten Kartoffelspezialitäten verlustierte. Die Köchin war eine gute Köchin und nützte die Gelegenheit, ein Gericht schmackhafter, würziger und üppiger zuzubereiten als das andere.

»Armer Jim«, seufzte Lena, wenn sie an ihren Mann dachte, »er hat die französische Küche so geliebt.«

Der Butler verriet, er beherrsche ein halbes Dutzend Cocktails, und Lena verhehlte nicht, dass ihr Arzt zum Mittagessen Burgunder und zum Diner Champagner empfohlen habe. Die drei dicken Damen blieben standhaft. Sie plapperten lebhaft, ja, vergnügt (so hat die Natur den Frauen die Gabe der Täuschung verliehen), doch Beatrice wurde schlaff und elend, Arrows sanfte Augen glitzerten jetzt wie Stahl, und Franks Bass grollte immer heiserer. Beim Bridge schlug die Spannung Funken. Stets hatten sie ihre Partien mit Genuss diskutiert, aber in aller Freundschaft; nun schwang ein bitterer Unterton mit, und manchmal wies die eine mit unnötiger Offenheit auf einen Fehler hin. Ihre Manöverkritik wandelte sich in Rechthaberei, die

Rechthaberei in Zank. Nicht selten beendeten sie ihre Runde in zornigem Schweigen. Frank warf Arrow vor, sie habe sie absichtlich im Stich gelassen, die weichherzige Beatrice brach zwei- oder dreimal in Tränen aus, während Arrow eines Tages ihre Karten auf den Tisch schmiss und erbost aus dem Zimmer rauschte. Die drei waren mit ihren Nerven am Ende, Lena stiftete jeweils Frieden.

»Wie dumm, beim Bridge zu streiten«, begütigte sie, »es ist doch bloß ein Spiel.«

Sie hatte gut reden nach einem reichlichen Essen mit einer halben Flasche Champagner. Dazu hatte sie noch sagenhaftes Glück und knöpfte den anderen alles Geld ab. Die Ergebnisse wurden allabendlich in einem Heft festgehalten, und Lenas Konto stieg mit unfehlbarer Regelmäßigkeit von Tag zu Tag. Gab es denn keine Gerechtigkeit mehr auf dieser Welt? Sie fingen an, einander zu hassen. Und obwohl sie auch Lena hassten, konnten sie dem Drang, ihr das Herz auszuschütten, nicht widerstehen. Eine nach der anderen suchte sie auf und erzählte ihr, wie sie die übrigen beiden verabscheue. Arrow meinte, es tue ihr nicht gut, dauernd mit so viel älteren Frauen zusammenzusitzen, sie habe gute Lust, ihren Anteil an der Miete in den Wind zu schreiben und für den Rest des Sommers nach Venedig zu fahren. Frank gestand, ihr männlicher

Intellekt sei mit der Gesellschaft einer so frivolen Person wie Arrow und einem so offenkundigen Dummerchen wie Beatrice nicht ausgefüllt.

»Ich muss mich mit jemand gescheit unterhalten können«, posaunte sie, »bei meinem Verstand brauche ich den Umgang mit geistig Ebenbürtigen.«

Beatrice sehnte sich nur nach Ruhe und Frieden.

»Ich kann Frauen nicht ausstehen«, sagte sie zu Lena, »sie sind so unzuverlässig, so heimtückisch.«

Als sich Lenas zweiwöchiger Aufenthalt dem Ende zuneigte, sprachen die drei dicken Damen kaum noch miteinander. Vor Lena wahrten sie den Schein, unter sich verzichteten sie jedoch darauf. Übers Streiten waren sie weit hinaus: Sie ignorierten einander, und wenn dies nicht möglich war, befleißigten sie sich eines eisig-höflichen Tons.

Lena wollte noch Freunde an der italienischen Riviera besuchen, und Frank brachte sie zu dem Zug, mit dem sie gekommen war. Sie nahm eine Menge Geld von den drei Freundinnen mit.

»Ich weiß nicht, wie ich dir danken soll«, sagte Lena, als sie in ihr Abteil stieg, »für mich waren es zauberhafte Ferien.«

Zwar erfüllte es Frank Hickson mit tiefem Stolz, dass sie es mit jedem Mann aufnahm, aber mit noch größerem Stolz zählte sie sich zu den weiblichen

Kavalieren, und ihre Antwort verband vollendet Anmut mit Würde.

»Wir fanden es alle reizend, dich bei uns zu haben, Lena«, erwiderte sie, »es war uns eine große Freude.«

Doch als sie dem abfahrenden Zug den Rücken kehrte, seufzte sie vor Erleichterung so tief auf, dass der Bahnsteig unter ihr bebte. Dann straffte sie ihre gewaltigen Schultern und marschierte heim zur Villa.

»Uff!«, stieß sie von Zeit zu Zeit hervor. »Uff!«

Sie zog ihren einteiligen Badeanzug und Espadrilles an, warf einen Männerbademantel – warum schließlich nicht? – um und wanderte zum Eden Roc. Es reichte noch zu einem Bad vor dem Mittagessen. Im Affenkäfig schaute sie sich um, ob sie Bekannte träfe, denn ihr war plötzlich so menschenfreundlich zumute – als sie zur Salzsäule erstarrte. Sie traute ihren Augen nicht: Ganz allein saß Beatrice an einem Tischchen in dem eleganten, ein oder zwei Tage zuvor bei Molyneux erstandenen Strandanzug; dazu trug sie ihre Perlen, und Franks scharfem Blick entging auch nicht, dass ihr der Friseur soeben kunstvoll die Haare gerichtet und dass sie sich ein neues Make-up zugelegt hatte. Trotz ihres gewaltigen, ja überwältigenden Umfangs war Beatrice zweifellos eine auffallend hübsche

Frau. Doch was tat sie bloß? In ihrem typischen Neandertalerschritt latschte Frank zu ihr hin; sie glich in ihrem schwarzen Badeanzug einem der riesigen Walfische, welche die Japaner in der Torres-Straße zu jagen pflegen und die im Volksmund Seekuh heißen.

»Beatrice, was machst du da?«, rief sie. Es klang wie Donnergrollen in den fernen Bergen. Beatrice blickte kühl auf.

»Essen«, antwortete sie.

»Verdammt noch mal, das sieht doch ein Blinder.«

Vor Beatrice stand ein Körbchen voll Croissants, Butter, Erdbeermarmelade, Kaffee und ein Kännchen mit Sahne. Hingegeben schmierte sie Butter auf das leckere warme Gebäck, klatschte Marmelade darauf und übergoss das Ganze mit dicker Sahne.

»Du bringst dich um«, bemerkte Frank spitz.

»Das ist mir egal«, muffelte Beatrice mit vollem Mund.

»Du wirst kiloweise zunehmen!«

»Scher dich zum Teufel!«

Sie lachte Frank glatt ins Gesicht. Meine Güte, wie verführerisch diese Croissants rochen.

»Beatrice, du enttäuschst mich, ich hätte mehr Charakterstärke von dir erwartet.«

»Du bist schuld, du hast dieses abscheuliche Frauenzimmer eingeladen. Vierzehn Tage lang habe ich mit angesehen, wie sie sich den Bauch vollschlagen konnte. Das hält kein Mensch aus. Ich will einmal anständig essen, und wenn ich platze!«

Frank traten Tränen in die Augen. Plötzlich war sie nur noch ein ganz schwaches Weib und sehnte sich nach einem starken Mann, der sie auf den Schoß nahm und streichelte und wie ein Kind mit zärtlichen Kosenamen tröstete. Stumm sank sie neben Beatrice auf einen Stuhl. Ein Ober eilte herzu. Mit tragischer Gebärde deutete sie auf den Kaffee und die Croissants.

»Bringen Sie mir das Gleiche«, seufzte sie. Als sie matt nach einem Hörnchen langte, riss ihr Beatrice das Körbchen weg. »Lass das«, sagte sie, »und warte, bis deine Sachen kommen.« Frank titulierte sie mit einem Ausdruck, den Damen selten aus Zuneigung unter sich verwenden. Einen Augenblick später stellte der Ober Croissants, Butter, Marmelade und Kaffee vor sie hin.

»Idiot, wo bleibt die Sahne?«, brüllte Frank wie eine gereizte Löwin.

Sie stürzte sich gierig auf das Essen.

Allmählich füllte sich der Affenkäfig mit Feriengästen, die sich einen oder zwei Cocktails gönnten, nachdem sie die Sonne und das Meer pflichtschuldigst absolviert hatten. Auch Arrow schlenderte herein mit Fürst Roccamare. Sie trug eine wundervolle Seidenstola, die sie mit einer Hand eng zusammenraffte, um möglichst schlank zu erscheinen, und reckte den Kopf hoch, damit ihrem Begleiter das Doppelkinn nicht auffalle. Sie lachte fröhlich und kam sich wie ein junges Mädchen vor, er hatte ihr eben – auf Italienisch – zugeflüstert, im Vergleich zu ihren blauen Augen sei das Mittelmeer bloß eine Erbsensuppe. Dann entschwand er in den Herrenwaschraum, um sein öliges schwarzes Haar zu kämmen, sie hatten sich in fünf Minuten zu einem Drink verabredet. Arrow steuerte auf die Damengarderobe zu, um etwas Rouge aufzulegen und ihre Lippen nachzuziehen, als sie Frank und Beatrice erblickte. Wie vom Blitz getroffen blieb sie stehen. Sie traute ihren Augen nicht.

»Großer Gott!«, rief sie. »Ihr widerlichen Fresser!« Sie griff nach einem Stuhl. »Ober!«

Ihr Rendezvous hatte sie schlankweg vergessen. Schon stand der Ober bereit.

»Bringen Sie mir das Gleiche wie diesen beiden Damen.«

Frank hob ihr schweres Haupt und schaute vom Teller auf: »Und mir eine Portion Gänseleber.«

»Frank!«, schrie Beatrice.

»Halt den Mund.«

»Bitte. Mir auch eine Portion.«

Der Ober schleppte Kaffee, warme Hörnchen, Sahne und Gänseleber an, und die drei fielen darüber her. Sie tunkten die Gänseleber in Sahne, schaufelten die Marmelade mit dem Löffel, zermalmten krachend das knusprige Gebäck. Was bedeutete Arrow noch die Liebe? Der Fürst mit seinem Palast in Rom und dem Schloss im Apennin konnte ihr gestohlen bleiben. Keine sagte ein Wort, dafür war ihre Beschäftigung viel zu ernst: In feierlicher, inbrünstiger Verzückung widmeten sie sich dem Essen.

»Ich habe seit fünfundzwanzig Jahren keine Kartoffeln gegessen«, bemerkte Frank träumerisch.

»Ober!«, rief Beatrice, »drei Portionen Pommes frites.«

»Très bien, Madame.«

Die Pommes frites standen auf dem Tisch und dufteten verlockender als alle Wohlgerüche Arabiens. Sie langten mit den Fingern zu.

»Einen Martini Dry!«, schmetterte Arrow.

»Aber Arrow, mitten im Essen einen Martini? Das geht doch nicht«, sagte Frank.

»Warum nicht? Wart nur ab.«

»Wie du willst. Mir einen doppelten.«

»Bringen Sie drei doppelte Martini Dry«, entschied Beatrice.

Sie leerten ihr Glas in einem Zug und blickten sich aufseufzend an. Die Missverständnisse der letzten vierzehn Tage schmolzen dahin, und die aufrichtige Zuneigung, die sie miteinander verband, füllte wieder ihr Herz. Sie konnten es kaum glauben, dass sie je eine Freundschaft hatten aufkündigen wollen, die ihnen so viel handfeste Zufriedenheit schenkte. Sie verzehrten die letzten Pommes frites.

»Ob es hier Schokoladen-Eclairs gibt?«, fragte Beatrice.

»Natürlich!«

Es gab sie. Frank stopfte ein ganzes Eclair in ihren riesigen Schlund, schluckte es hinunter und griff nach dem nächsten. Bevor sie es verschlang, stieß sie mit einem Blick auf ihre beiden Gefährtinnen den rächenden Dolch in die Brust dieser gräßlichen Lena.

»Ihr könnt sagen, was ihr wollt, aber ihr Bridge war wirklich miserabel.«

»Ganz schäbig«, stimmte Arrow zu.

Doch Beatrice fiel plötzlich ein, sie könnte eine Meringe essen.

Amélie Nothomb

Biographie des Hungers

Der Hunger bin ich. Die Physiker träumen davon, das Universum mit einem einzigen Gesetz zu erklären. Das scheint sehr schwer zu sein. Wäre ich ein Universum, setzte ich nur auf eine Macht: den Hunger.

Es geht mir nicht um ein Monopol auf den Hunger; er ist die meistgeteilte menschliche Fähigkeit. Ich behaupte jedoch, eine Meisterin auf diesem Gebiet zu sein. So weit mein Gedächtnis reicht, bin ich immer vor Hunger gestorben.

Ich komme aus begütertem Milieu; bei mir zu Hause fehlte es an nichts. Das veranlasst mich, diesen Hunger als eine persönliche Eigenheit zu betrachten – aus sozialen Gründen ist er nicht zu erklären.

Man muss dazu sagen, dass mein Hunger im weitesten Sinne zu verstehen ist. Hätte ich bloß nach Essen gehungert, wäre es wohl nicht so schlimm gewesen. Aber gibt es das überhaupt, puren Essenshunger? Verweist nicht der hungrige Magen immer auch auf einen allgemeinen Hunger? Unter Hunger verstehe ich diesen entsetzlichen Mangelzustand des ganzen Wesens, diese quälende Leere, diese Sehnsucht weniger nach utopischer Fülle denn nach schlichter Wirklichkeit – ein Flehen, dass, wo nichts ist, etwas sei.

Als ich mit zwanzig jenen Vers aus der Feder Catulls las, mit dem er sich vergebens ermahnte: »Hör auf zu wollen«, schwante mir, dass ich, wenn ein solcher Dichter daran gescheitert war, noch viel weniger dahin gelangen würde.

Hunger heißt wollen. Er ist ein viel größeres Begehren als das Begehren. Er ist nicht Wille, denn Wille ist Kraft. Auch keine Schwäche, denn Passivität ist ihm fremd. Der Hungrige ist ein Suchender.

Wenn Catull sich Bescheidenheit verordnet, dann, weil er sich nicht bescheidet. Im Hunger steckt eine Dynamik, die es verbietet, diesen Zustand hinzunehmen. Ein Wollen, das unerträglich ist.

Das Wollen Catulls, wird man einwenden, gehöre nicht hierher, weil es aus dem Liebesmangel, der quälenden Abwesenheit der Geliebten herrührte. Meine Sprache aber errät hier dasselbe Register. Der wahre Hunger, der keine Fressgier ist, der Hunger, der die Seele entblößt und ihrer Substanz entkleidet, ist die Stiege, die zur Liebe führt.

Alle großen Liebenden sind durch die Schule des Hungers gegangen.

Die von Geburt an Satten – und davon gibt es viele – werden nie diese ständige Angst erfahren, dieses aktive Warten, dieses Fieber, dieses Elend, das einen Tag und Nacht wachhält. Der Mensch bildet sich nach den Erfahrungen seiner ersten Lebensmonate; wenn er da keinen Hunger fühlt, wird er zu einem jener merkwürdigen Auserwählten oder Verdammten, die ihr Leben nicht um den Mangel aufbauen.

Das kommt vielleicht dem Ausdruck der Gnade oder Ungnade bei den Jansenisten am nächsten: Niemand weiß, warum manche hungrig geboren werden und manche satt. Es ist eine Lotterie.

Und ich habe das große Los gezogen. Ich weiß nicht, ob es ein beneidenswertes Los ist, aber ich zweifle nicht daran, auf diesem Gebiet außergewöhnliche Fähigkeiten zu besitzen. Wenn Nietzsche vom Übermenschen spricht, darf ich auch vom Überhunger sprechen.

Ich bin kein Übermensch; überhungrig bin ich mehr als alle anderen.

Ich hatte immer einen ausgezeichneten Appetit, besonders auf Süßes. Zwar muss ich zugeben, dass ich in der Disziplin reiner Essenshunger größere Meister kenne als mich, meinen Vater zum Beispiel. Aber was Süßes betrifft, bin ich unschlagbar.

Wie zu befürchten war, zog dieser Hunger immer weitere Kreise. Von frühester Kindheit an quälte mich das Gefühl, nie die angemessene Portion zu bekommen. Kaum war der Schokoriegel aufgegessen, das langweilige Spiel zu Ende, die Geschichte unbefriedigend verlaufen, kaum hatte der Kreisel aufgehört, sich zu drehen, oder ich in einem Buch, das für mich noch kaum begonnen hatte, die letzte Seite umgeblättert, bäumte sich in mir etwas auf. Wie? Da hatte man mich schön angeschmiert!

Wen wollte man da über den Tisch ziehen? Als wäre das genug, ein Riegel Schokolade, ein billiger Sieg, ein harmloses Ende, eine sinnlos unterbrochene Drehung, ein Buch, das einem ein X für ein U vormacht!

Das hatte sich ja gelohnt, so grandiose Ereignisse zu veranstalten wie Süßigkeiten, Karten, Geschichten, Spielzeug und, last but not least, Bücher, wenn man uns dann in dem Maße hungern ließ!

Ich bestehe auf »in dem Maße«; ich bin keine Verfechterin der Sattheit. Die Seele soll einen Teil ihres Begehrens bewahren. Aber zwischen Sättigung und dreister Verarschung gibt es noch einigen Spielraum.

Der alte Gegensatz zwischen Quantität und Qualität ist oft ziemlich dumm; der Überhungrige hat nicht bloß mehr Appetit, er hat vor allem einen wählerischen Appetit. Es gibt eine Stufenleiter der Werte, wo das Mehr das Bessere zeitigt: Die großen Liebenden wissen das, die besessenen Künstler auch. Die höchste Feinheit hat als treueste Verbündete die Überfülle.

Ich weiß, wovon ich spreche. Als Schleckermäulchen war ich ständig auf der Suche nach etwas Süßem – das war meine Gralssuche. Meine Mutter verdammte und unterdrückte diese Leidenschaft und wollte mich betrügen, indem sie mir statt der ersehnten Schokolade Käse gab, der mich anwiderte, harte Eier, die mich beleidigten, oder fade Äpfel, die mich kalt ließen.

Mein Hunger ließ sich nicht nur nicht täuschen, er wurde auch immer größer. Von etwas, das ich nicht mochte, bekam ich noch mehr Hunger. Ich befand mich in der absurden Lage einer Hungernden, die man zum Essen zwingen muss.

Nur der pervertierte Überhunger hungert nach irgendetwas. Im Urzustand und wenn man ihn nicht reizt, weiß der Überhunger sehr wohl, was er will: Er will das Beste, das Köstliche, das Wunderbare, und versucht es auf jedem Gebiet des Genusses zu entdecken.

Wenn ich mich über das Naschverbot beklagte, sagte meine Mutter: »Das vergeht.« Falsch. Es ist mir nie vergangen. Kaum hatte ich meine Unabhängigkeit in Essensdingen erreicht, begann ich, mich ausschließlich von Süßigkeiten zu ernähren. Das tue ich heute noch. Und es passt mir wie angegossen. Ich habe mich nie besser gefühlt. Es ist nie zu spät, es richtig zu machen.

»Zu süß« – dieser Ausdruck erscheint mir so absurd wie »zu schön« oder »zu verliebt«. Zu schöne Dinge gibt es nicht, es gibt nur Wahrnehmungen, bei denen der Schönheitshunger weniger ausgeprägt ist. Und man spreche mir nicht vom Gegensatz zwischen dem Barocken und dem Klassischen: Wer im Herzen des Maßes nicht das Übermaß leuchten sieht, hat eine beklagenswerte Wahrnehmung.

»Ich habe Hunger«, sagte ich also zu meiner Mutter, wenn ich ihre stopfenden Gaben verschmähte.

»Nein, du hast keinen Hunger. Wenn du Hunger hättest, würdest du essen, was du bekommst«, hörte ich tausend Mal.

»Ich habe Hunger!«, protestierte ich.

Worauf sie unfehlbar zu dem Schluss kam: »Das ist ja eine richtige Krankheit!« Dieses Ende der Auseinandersetzung brachte mich jedes Mal aus der Fassung. Eine Krankheit! Eine richtige noch dazu! Später lernte ich die Etymologie des Wortes Krankheit kennen: »maladie« kam von »mal à dire«, »schwer zu sagen«. Krank war also der, dem es schwerfiel, etwas zu sagen. Und sein Körper sagte es an seiner Stelle in Form einer Krankheit. Eine faszinierende Idee, dass das Leiden ein Ende haben könnte, wenn es einem nur gelänge, das Richtige zu sagen.

Wenn mein Hunger also eine richtige Krankheit war, was müsste ich dann sagen, um geheilt zu werden? Was war das Geheimnis, das sich dahinter verbarg? Welches Rätsel musste ich lösen, um dem Ruf des Zuckers nicht mehr so ausgesetzt zu sein? Mit drei, vier Jahren war ich noch nicht imstande, mir solche Fragen zu stellen.

Wäre mein Vater nicht immer der meistbeschäftigte Mann der Welt gewesen, hätte ich ihn wohl öfter mit angespannter Miene in die Küche kommen und dort nach etwas Unerlaubtem herumstieren sehen, denn Essen zwischen den Mahlzeiten galt bei diesem unverbesserlichen Bulimiker grundsätzlich als verboten. Die seltenen Male, wo ich ihn dabei beobachten konnte, wie er seinem Hang nachgab, floh er immer mit einer Handvoll Zeug, Brot, Erdnüssen, egal, was eine verschämte Hand nur schnell zusammenraffen konnte.

Papa ist ein Märtyrer der Ernährung. Sein Hunger wurde ihm gewaltsam von außen eingeimpft und dann dauernd unterdrückt. Der zarte, sensible, dünne Junge wurde durch eine so massive emotionale Erpressung zum Essen gezwungen, dass er sich schließlich dem Grund seiner Qualen (besonders seiner Großmutter mütterlicherseits) und seinen Bauch den Dimensionen des Universums anpasste. Er ist ein Mann, dem übel mitgespielt wurde: Erst zwang man ihm das Essen auf, und als er richtig süchtig danach war, setzte man ihn auf Diät bis zum Ende seiner Tage. Mein armer Vater erfuhr ein absurdes Schicksal – Ärger ist sein Los. Er isst mit bestürzender Geschwindigkeit, ohne zu kauen, und so verängstigt, dass er gar kein Vergnügen daran zu finden scheint. Ich wundere mich immer, wenn ich höre, dass Leute ihn für einen Genussmenschen halten. Sie lassen sich durch seine Rundungen täuschen. Er ist die personifizierte Angst, unfähig, die Gegenwart zu genießen.

Papa konnte noch so sehr Konsul sein – er war ein Sklave. Zunächst ein Sklave seiner selbst: Ich habe noch nie jemanden gesehen, der sich so viel Arbeit, Mühe, Ergebenheit und Pflichten auferlegte. Dann ein Sklave seiner Ernährung: immer ausgehungert und mit einer schmerzlichen Ungeduld nach seiner Portion lechzend, die gar nicht so mager war, obwohl es danach aussah, wenn sie mit Überschallgeschwindigkeit in seinem Mund verschwand. Schließlich war er ein Sklave seines unbegreiflichen Lebensplans, der vielleicht auch darin bestand, keinen zu haben, was ihn aber nicht daran hinderte, dessen Sklave zu sein.

War meine Mutter auch nicht seine Chefin, so war sie doch die Verwalterin der Ernährungssklaverei meines Vaters. Sie hatte die Essensmacht inne. Diese Situation ist in Familien üblich. Ich habe aber den Eindruck, dass sich diese Macht bei meinen Eltern stärker auswirkte. Beide hatten ein zwanghaftes Verhältnis zum Essen – im Fall meiner Mutter war es nur noch schwieriger zu erfassen.

Wenn Gott aß, aß er Süßes. Menschen- oder Tieropfer hielt ich seit jeher für Verirrungen: Welches Blutvergießen für ein Wesen, das so glücklich gewesen wäre über eine Hekatombe Zuckerwerk!

Man muss da differenzieren. Im Naschwerk liegt mehr oder weniger Metaphysik. Ausführliche Recherchen haben mich zu der Feststellung veranlasst: Das theologale Genussmittel ist die Schokolade.

Ich könnte noch zahlreiche wissenschaftliche Beweise für meine Behauptung erbringen, angefangen beim Theobromin mit seiner schreienden

Etymologie, das nur in der Schokolade enthalten ist. Aber das käme mir fast wie eine Beleidigung der Schokolade vor. Ihre Göttlichkeit scheint mir über jede Apologetik erhaben.

Man muss doch bloß den Mund voll guter Schokolade haben, um nicht nur an Gott zu glauben, sondern auch seine Gegenwart zu spüren. Nicht die Schokolade ist Gott, sondern die Begegnung zwischen ihr und einem Gaumen, der sie zu schätzen weiß.

Gott, das war ich im Zustand der Lust oder möglicher Lust – also immer ich.

Es gab noch andere wunderbare Dinge, etwa mit Nishio-san, meiner Gouvernante, die Waschmaschine auszuräumen und an der Wäsche zu lecken, wenn sie sie zum Trocknen aufhängte – speichelnd biss ich in die sauberen Laken, um den guten Wäschegeschmack im Mund zu haben. Man merkte mir meine Lust so sehr an, dass ich zu meinem vierten Geburtstag eine winzige Waschmaschine geschenkt bekam, die mit Batterien lief. Man musste sie mit Wasser füllen, einen Löffel Waschpulver dazugeben und ein Taschentuch hineinstecken. Dann schloss man die Maschine, drückte den Knopf und sah den Inhalt rotieren. Dann musste man sie nur noch aufmachen und entleeren.

Statt blöd das Taschentuch zum Trocknen aufzuhängen, steckte ich es in den Mund und kaute es. Und spuckte es erst wieder aus, wenn der Seifengeschmack verschwunden war. Dann musste es gleich wieder in die Maschine, wegen des Speichels.

Wenn ich bettelte und schmeichelte, bekam ich von Nishio-san Zuckerwerk, kleine Schokoladenschirme und manchmal sogar, o Wunder, Umeshû: Schnaps war der Gipfel des Süßen, der Beweis seiner Göttlichkeit, das höchste Moment seiner Existenz. Zwetschgenschnaps war ein Sirup, der zu Kopf stieg – etwas Besseres gab es nicht. Nishio-san ließ sich nicht oft erweichen, mir Umeshû zu geben.

»Das ist nichts für Kinder.«

»Warum?«

»Das macht beschwipst. Das ist nur für Erwachsene.«

Merkwürdige Erwägung. Ich kannte es und liebte es. Warum sollte man es den Erwachsenen vorbehalten?

Die Verbote waren nie allzu schlimm: Man musste sie nur umgehen. Ich begann, meine Leidenschaft für den Schnaps mit derselben Heimlichkeit auszuleben wie meine Leidenschaft für Süßes.

Meine Eltern hatten das Mondäne zum Beruf. Unser Haus war die Bühne unzähliger Cocktails.

Meine Anwesenheit war dabei nicht erforderlich. Aber ich hatte das Recht, vorbeizuschauen, wenn ich Lust dazu hatte. Die Leute waren entzückt und ließen mich in Ruhe. Wenn diese Formalien erledigt waren, ging ich zur Bar. Niemandem fiel es auf, wenn ich Champagnerflöten mopste, die irgendwo halbleer herumstanden. Der goldene Wein mit den Bläschen wurde auf Anhieb mein bester Freund: diese prickelnden Schlucke, der Geschmack ein Fest für die Papillen, und wie er so schnell und leicht zu Kopf stieg – das war das Ideal. Das Leben war gut eingerichtet: Die Gäste gingen, der Champagner blieb. Und ich leerte die Gläser.

Wunderbar beschwipst ging ich in den Garten, um mich im Kreis zu drehen. Ich drehte mich weniger als der Himmel. Die Drehung der Welt war so sicht- und so spürbar, dass ich vor Begeisterung schrie.

Ohne meinen kindlichen Alkoholismus glorifizieren zu wollen, möchte ich darauf hinweisen, dass er für mich nie ein Problem darstellte. Meine Kindheit passte sehr gut zu meinen Leidenschaften. Ich war keine schwache Natur, und mein schmächtiger Körper gewöhnte sich rasch an meinen Überhunger.

In Peking an Naschwerk heranzukommen war ungleich schwieriger als in Japan. Man musste das Fahrrad nehmen, den Soldaten beweisen, dass man mit sechs Jahren keine wesentliche Bedrohung für die chinesische Bevölkerung darstellte, und zum Markt fahren, wo man deliziöses Zuckerwerk und abgelaufene Karamellbonbons kaufen konnte. Nur was tun, wenn das magere Taschengeld aufgebraucht war?

Dann musste man die Garagen des Ghettos plündern. Dort bunkerten die Erwachsenen der Ausländergemeinde ihre Vorräte. Diese Ali-Baba-Höhlen waren zwar mit Vorhängeschlössern gesichert, aber nichts ist einfacher aufzufeilen als Vorhängeschlösser kommunistischer Qualität.

Ich war nicht rassistisch und klaute in allen Garagen, auch in der meiner Eltern, die nicht die schlechteste war. Einmal fand ich dort eine belgische Leckerei, die ich noch nicht kannte: Spekulatius.

Ich musste sogleich eines kosten und tat einen Schrei: Dies Knuspern, diese Gewürze, das war zum Heulen, ein viel zu bedeutsames Ereignis, um es in einer Garage zu zelebrieren. Was aber war der beste Ort, um diesen Fund zu feiern? Mir fiel etwas ein.

In großen Sprüngen erreichte ich unser Haus,

rannte die vier Stockwerke hinauf, stürzte ins Badezimmer und stieß die Tür hinter mir zu. Dann setzte ich mich vor den riesigen Spiegel, holte meine Beute unter dem Pullover hervor und begann zu essen, während ich gleichzeitig mein Spiegelbild betrachtete: Ich wollte mich im Zustand der Lust sehen. Was sich auf meinem Gesicht ausdrückte, war der Geschmack der Spekulatius.

Es war ein großartiges Schauspiel. Durch bloße Selbstbetrachtung konnte ich die Geschmacksnoten aufschlüsseln: süß natürlich, sonst hätte ich nicht so glücklich dreingesehen; nach dem charakteristischen Spiel der Grübchen zu schließen, musste es sich um Rohzucker handeln. Die vom Genuss gekrauste Nase verriet viel Zimt. Die glänzenden Augen kündeten von den Nuancen anderer, ebenso unbekannter wie verführerischer Gewürze. Und wie konnte ich angesichts meiner vor Verzückung geschürzten Lippen am Vorhandensein von Honig zweifeln?

Zu meiner größeren Bequemlichkeit setzte ich mich auf den Waschbeckenrand und stopfte weiter Spekulatius in mich hinein, während ich mich mit den Augen verschlang. Das Bild meiner Wollust steigerte meine Wollust.

Ohne es zu wissen, machte ich es wie diese Leute, die in die Bordelle Singapurs gehen, um sich in den verspiegelten Decken selbst zuzusehen, vom Anblick des eigenen Liebesspiels entflammt.

Meine Mutter kam ins Badezimmer und mir damit auf die Schliche. Ich war so vertieft in meine Betrachtung, dass ich sie gar nicht sah und meine Übung des doppelten Verschlingens fortsetzte.

Ihre erste Reaktion war Zorn: »Sie stiehlt! Süßigkeiten! Noch dazu erste Wahl, einen wahren Schatz, unser einziges Päckchen Spekulatius, die man in Peking bestimmt nicht bekommt!«

Dann Verblüffung: »Warum sieht sie mich nicht? Warum schaut sie sich beim Essen zu?«

Schließlich begriff sie und musste lächeln: »Sie genießt und will das sehen!«

Und bewies, was für eine großartige Mutter sie war: Sie ging auf Zehenspitzen hinaus und zog die Tür hinter sich zu. Sie ließ mich mit meiner Lust allein. Ich hätte von ihrem Eindringen nie etwas erfahren, wenn ich nicht gehört hätte, wie sie die Geschichte einer Freundin erzählte.

Leon de Winter

Hoffmans Hunger

Freddy Mancini hatte beim Ungarn vier Steaks verdrückt, aber er hatte Hunger, als er über den Flur zu seinem Hotelzimmer trottete. Es war warm in Europa. Freddys gewaltiger Bauch hing schwer unter seiner schwitzenden Brust, die maßgefertigten Jeans spannten über seinem fetten Hintern. Seine Frau Bobby ging leichtfüßig neben ihm her. Sie machte ihm Vorwürfe, dass er heute Abend seine Diät verhunzt habe.

»Verhunzt hast du sie, Freddy! Lernst du's denn nie? Die letzten Tage hast du dich so schön dran gehalten – und nun? Du lernst es wirklich nie.«

In seinem Magen fühlte Freddy ein brennendes Schamgefühl, aber auch der Hunger bohrte weiter – Hunger nach Erfüllung und immerwährender Befriedigung. Er hatte mal gelesen, dass ein besonderer Magennerv das Hungergebiet im Gehirn kitzelte. So erklären es sich die Rationalisten und Optimisten.

Die Diätassistentin zu Hause in San Diego hatte ihm vor ein paar Monaten etwas anderes gesagt.

»Wie lange kommst du jetzt schon zu mir, Freddy? Drei Jahre?«

»Dreieinhalb. Beinahe vier.«

»Was, schon so lange?«

»Was wolltest du sagen, Sandy?«

»Jedes Pfündchen geht durchs Mündchen, das kennst du ja, aber bei den meisten ist es auch etwas im Gehirn, was sie dick macht. Nur bei dir, Freddy, bei dir sitzt es ausschließlich im Gehirn. Bei dir ist Hunger ein mentales Problem.«

Das hatte damals wie eine Zauberformel geklungen, und er hatte einfältig dazu genickt. Dann hatte er sich hinter das Steuer seines Chrysler New Yorker gezwängt und sich auf dem Weg zu seinem Büro, von dem aus er seine zwölf Waschsalons regierte, gefragt, was eigentlich den Hunger in seinem Kopf verursachte. Die Klimaanlage hatte kühle Luft an seine verschwitzten Wangen geblasen. Er war erfolgreich und liebte Bobby; sie hatten drei wohlgeratene Kinder großgezogen, die gut verheiratet waren und ihrerseits Familien gegründet hatten; sie wohnten in einem schönen Haus mit Schwimmbad, fuhren einen Chrysler, einen Dodge und einen Jeep Cherokee; er war ein guter Amerikaner, zahlte Steuern und wählte die Republikaner, aber er hatte diesen Makel: Er wog dreihundertfünfzig amerikanische Pfund. Alles, was er aß, schlug direkt an. Und nun, in seinem Chrysler, den Blick starr auf die Straße gerichtet, die unter der glühenden kalifornischen Sonne vibrierte, die Worte seiner Diätassistentin noch im Ohr, war ihm plötzlich klargeworden, dass er unglücklich war. Dieser Gedanke machte ihn ganz wirr. Er fuhr auf den Parkplatz eines Supermarktes und starrte dort minutenlang vor sich hin. »Ich bin nicht glücklich«, murmelte er entsetzt. Er hatte alles und war nicht glücklich. Sofort meldete sich sein Schuldbewusstsein: Wie konnte er nicht glücklich sein. Bobby! Es würde ihr einen Schlag versetzen, wenn er ihr beim Nachhausekommen erzählte, dass irgendetwas fehlte. Er liebte sie nicht mehr. Nein, Unsinn, natürlich liebte er sie noch, genauso wie die Kinder, die Waschsalons, die Autos, das Haus und die zwei Katzen, aber irgendetwas fehlte. Du lieber Himmel, was war das nur?

Es war ihm vorher nie aufgefallen, dass die Dinge so kompliziert waren. Er wusste nicht, was ihm fehlte. Und das war der Grund für seinen Hunger, schloss er mit deprimierender Klarheit. Unwillkürlich tastete seine Hand nach dem Zündschlüssel, aber er fuhr nicht los. Durch die Schaufenster des Supermarktes schimmerten Regale mit Lebensmitteln. Er hatte einen beißenden Hunger. Er kämpfte sich aus dem Auto und ging in den Laden. Dort kaufte er einen ganzen Arm voller Tüten, Beutel, Riegel. Im Auto schlang er alles hinunter. Auf dem Beifahrersitz türmte sich das Verpackungsmaterial.

Freddy Mancini begriff an diesem Tag, dass von nun an alles anders sein würde. Äußerlich war ihm nichts anzumerken, aber in seinem Kopf hatte eine Umwälzung stattgefunden, eine Revolution wie in Kuba, und er würde bis an sein Lebensende in einsamer Stille das Gefühl haben, er sei eine unglückliche und tragische Figur, die alles besaß und doch zu kurz gekommen war. Er hatte im kühlen Auto angefangen zu zittern, sein Gesicht in eine offene Tüte gedrückt und Tränen auf die salzigen Chips fallen lassen.

Bobby öffnete die Zimmertür im Hotel International in Prag. Freddy folgte ihr. Die Mauern strahlten noch die Hitze des Tages aus. Vier Schwangerschaften hatten Bobbys Körper nichts anhaben können. Sie hatte die Figur einer Achtzehnjährigen. Ihre Haut war natürlich älter geworden, aber wenn sie am Strand entlangging, warfen die Knaben noch immer lüsterne Blicke auf ihren Busen und ihren Hintern. Sie schwor ihm, dass er die vier Steaks morgen zu büßen hätte.

»Und außerdem war das Zeug kaum zu fressen!«, rief sie verzweifelt. »Das sollen Steaks gewesen sein? Lederlappen, die wir nicht mal einem Hund vorsetzen würden! Und du stürzt dich mit einer Gier drauf, als hättest du jahrelang vor lauter Armut Fleisch nur im Schaufenster gesehen! Herrgott, Freddy, du musst abnehmen, Sandy und Doktor Friedman haben dir doch gesagt, dass du bis zum nächsten Wochenende zwei Kilo runter haben musst. Lächerliche zwei Kilo! Und was tust du? Du nimmst zwei Kilo zu! Wenn du morgen wagst, überhaupt etwas zu essen, dann schlag ich es dir persönlich aus dem Mund. Zu deinem eigenen Besten.«

»Ich hatte Hunger«, sagte er. »Weil ich das Mittagessen übersprungen habe.«

»Menschenskind! Jetzt gehst du schon hundert Jahre zu Sandy und hältst dich noch immer nicht an die Regeln! Wie oft muss ich es dir noch sagen? Tausendmal? Hunderttausendmal? Du sollst ja zu Mittag essen, aber was Leichtes. Und abends ganz normal. Ohne dich derart vollzustopfen. Willst du vielleicht mit neunundvierzig sterben?«

Ja, antwortete er still für sich.

Sie ging ins Bad, und Freddy ließ sich in einen Stuhl sacken. Das Holz ächzte, als er seinen Hintern zwischen die Armlehnen quetschte. Die Kacheln im Bad gaben Bobbys Stimme einen metallischen Klang. Er hörte nicht zu.

Sie hatte ihn auf diese Reise mitgeschleppt, vier Wochen, die ihn ein Vermögen kosteten. Sandy und Doktor Friedman hatten ihm dazu geraten, sie meinten, er würde wahrscheinlich leichter abnehmen, wenn er seine festen Gewohnheiten durchbrach, und Bobby hatte für sie beide diese Gruppenreise gebucht.

Er wusste nicht mehr, in wie vielen Hotels sie schon übernachtet hatten. Heute früh waren sie mit einem klimatisierten Bus mit Bar und wc aus Wien abgefahren, fünf Stunden hatte die Fahrt gedauert. Eine Stunde hatten sie an der Grenze gewartet, während der Bus von ein paar finsteren Männern mit Maschinengewehren gefilzt wurde. In Prag waren sie zunächst im Hotel International abgestiegen und hatten dann eine Stadtrundfahrt gemacht, über die Burg mit ihren Kirchen und Palästen, wo die Regierung ihren Sitz hat, und dann an einem Fluss mit allen möglichen Gebäuden entlang, die er schon wieder vergessen hatte.

Ihr Hotel war ein pompöser Kasten in einem Stil, den man laut Auskunft des österreichischen Reiseführers im Westen den »stalinistischen Zuckerbäckerstil« nannte. Die Eingangshalle war riesig, mit breiten Pfeilern und einer ausladenden Rezeption.

Auf dem Marmorfußboden lagen abgetretene Teppiche, die Sitzecken bestanden aus klobigen Möbeln, überall hing dieser penetrante Geruch nach verkochtem Kohl, und obwohl das Gebäude mit seinen breiten Fluren einen anderen Eindruck machte, waren die Zimmer erdrückend klein. Es war eben kein Hilton, nicht einmal ein Ramada Inn oder ein Howard Johnson. Ihr Bus war bequemer.

Im Bett neben ihm atmete Bobby gleichmäßig und ruhig. Der Hunger stach wie ein Bajonett in seinen Magen und schnitt ihm in Herz und Kehle. Der Schlaf konnte ihn davon nicht erlösen. Er hörte, wie die Luft durch seine Nasenlöcher pfiff. Seine fette Brust keuchte auf und ab. Er veränderte seine Lage und richtete sich mühsam auf, zog alle Fettringe und Wülste mit sich hoch. Die Matratze ächzte, als er sich erschöpft und nach Luft ringend wieder fallen ließ. Das Laken klebte an seiner Haut.

Bobby ließ sich nachts von seinem Geschnaufe schon lange nicht mehr aus ihren Träumen reißen. Nach harten Jahren der Gewöhnung an all seine Geräusche war es allein der Wecker von Bell & Howell, der sie mit seinem Gerassel aus dem fernen Land zurückholen konnte, in das sie entschwand, sobald sie das Leselämpchen ausgeknipst hatte. Das Ding hatten sie aus San Diego mitgeschleppt, ohne daran zu denken, dass die hochnäsigen Europäer zwar schon seit Jahren ihr vereinigtes Europa hätschelten, aber noch nicht imstande gewesen waren, einen einheitlichen Stecker und eine einheitliche Voltzahl einzuführen.

Freddy versuchte sich zu erinnern, vor wie vielen Jahren sie zum letzten Mal miteinander geschlafen hatten. Nach der Fehlgeburt war es eigentlich schon vorbei gewesen, und als Bobby mit ihrem letzten Kind schwanger war, hatte sie den Hahn endgültig zugedreht. Damals ging Freddy in die Breite. Er begriff, dass ein Zusammenhang bestand zwischen dem völligen Mangel an Sex und seinem Umfang, aber man konnte natürlich nicht einfach davon ausgehen, dass er sein Normalgewicht zurückbekam, wenn er wieder wöchentlich mit Bobby schlief. Abgesehen davon, dass er physisch dazu gar nicht mehr imstande war, wie er selbst merkte.

Magensäure stieg ihm in den Hals, er schluckte. Sie hatten in einem ungarischen Restaurant zu Abend gegessen, in der Nähe vom Vaclavské Namesti, dem Platz in der Stadtmitte. Fast jeder hatte den grauen Lappen, der auf der Speisekarte als »first class sirloin steak with gypsy sauce« umschrieben wurde, liegen gelassen, nur Freddy hatte gleich drei weitere von seinen Nachbarn mitgegessen. Manche hatten sich gegen die Qualitäten der kommunistischen Küche gewappnet und zauberten Hershey-Schokoriegel und Mars-Familienpackungen aus ihren Nylon-Hüfttaschen, ein Autohändler aus Wisconsin, ein gewisser Browning, schwor sogar, im Hotel bekäme man Hamburger mit Ketchup.

Mühsam stieg er aus dem Bett. Bobby atmete friedlich. Sie streifte durch Länder, die er nie betreten würde. Nach dieser Reise würde er für immer in Amerika bleiben. Natürlich fand er es interessant, all die alten Städte und die Geschichte und Tradition und so, aber er fühlte sich hier verloren. Die Tschechoslowakei war ein Entwicklungsland.

So leise wie möglich zog er sich an. In der Stille des Hotels hörte er seinen eigenen keuchenden Atem. Auf jede Bewegung folgte ein schwerer Atemstoß, als hätte er eine Dampfmaschine in der Lunge. Er verließ das Zimmer.

Am Gangende saß ein alter Mann unter einer trüben Funzel und las. Er schaute auf, als er Freddy hörte. Freddy sah den Unglauben in seinen Augen und ging schweigend zum Lift. Irgendjemand aus der Reisegruppe hatte erklärt, dass alle Etagen rund um die Uhr bewacht würden, weniger, um die Gäste vor ungebetenem Besuch zu schützen, als um die eigenen Leute fernzuhalten. Ohne Spezialausweis kam man hier als Tscheche nicht über die Schwelle. Die Hotelhalle war leer. Freddy schleppte sich über den abgetretenen Teppich zur Rezeption. Er sah in der Nähe der Drehtüren zwei Männer in Sesseln herumlungern. Sicherheitskräfte, hatte der Reiseführer gewispert. Er fühlte, wie sich ihre Blicke in seinen Körper bohrten. Nicht ein einziges Kleidungsstück bot ihm Schutz. Er war immer nackt.

An der Rezeption war niemand zu sehen. Es gab auch keine Klingel, um sich bemerkbar zu machen. Er hielt sich am schwarzen Marmortresen fest und wartete. In amerikanischen Hotels hörte man immer Musik, er hatte sich oft gefragt, warum. Jetzt begriff er, wie schwer die Einsamkeit in einem totenstillen Gebäude auszuhalten war. Von fern drangen aus dem Inneren des Hotels ein paar matte Geräusche. Aber sonst kein Straßenlärm, kein Türquietschen, das sein verzweifeltes Schnaufen übertönt hätte.

Zu Hause in San Diego hatte er seine Bewegungen und Unternehmungen auf das Notwendigste beschränkt. Er musste abnehmen, weil er sonst keine fünf Jahre mehr zu leben hatte, aber der Hunger war eine Qual, saß wie ein toller Hund in seinem Magen und fraß wild um sich. Er war unglücklich, und dieses Gefühl, das wusste er nun, zeichnete sich aus durch das Fehlen von Hoffnung. Sein unstillbares Verlangen nach dem Zustand vollkommener Sättigung trug einen Flor untröstlicher Trauer.

Er wurde ungeduldig. Rief etwas. Erschrak vor den schrillen Tönen, die aus seinem Mund in die Halle drangen. Er hörte, wie die Männer sich hinter ihm aufrichteten. Und in der Türöffnung hinter dem Tresen erschien ein Mann in seinem Alter, so um die fünfzig, in zerknittertem Anzug und mit ganz kleinen Augen. Er hatte ein Nickerchen gemacht.

»Sie wünschen?«, fragte er ohne eine Spur von Freundlichkeit. Er musterte Freddy von oben bis unten.

»Meine Frau hat Hunger, ich wollte wissen, ob sie noch etwas zu essen bekommen kann.«

»Alles ist zu«, sagte der Mann sofort und drehte sich entschlossen wieder um.

»Gibt's hier denn kein Sandwich oder so was? Kaltes Huhn? Oder einen Hamburger? Meine Frau ist schwanger, sie hat Hunger. Ich habe gehört, es gibt hier Hamburger.«

Der Mann blieb stehen und sah ihn an.

»Das Restaurant schließt um neun.«

»Und danach?«

»Danach gibt's nichts mehr.«

»Und wenn hier nachts Reisegruppen ankommen? Die müssen doch auch etwas essen?«

»Die kommen nicht nachts an.«

»Könnte aber vorkommen.«

»Kommt nicht vor.«

»Nein?«

»Nein«, sagte der Mann. Seine Stimme klang gereizt.

»Sie muss aber was essen, sonst wird sie krank.«

Der Mann seufzte und schaute kurz zu den zwei Männern an der Tür.

»Es gäbe da vielleicht eine Lösung, aber einfach ist das nicht.«

Freddy nickte. Er zwängte eine Hand in die Hosentasche, zog einen Fünfdollarschein heraus und legte ihn auf den Tresen. Mit der Geschwindigkeit des erfahrenen Empfangschefs legte der Mann eine Hand auf den Schein.

»Restaurant Slavia«, sagte er. Er zog den Schein zu sich heran und schloss die Faust darum. »Ein Seitensträßchen von der Francouzska. Ladovagasse Nummer dreiundsechzig. Dreimal klingeln. Privatrestaurant. Ganze Nacht geöffnet.«

»Wie kommen wir da hin?«, fragte Freddy flehentlich.

»Das ist Ihre Sache«, sagte der Mann.

Er verschwand hinter der Tür.

Anthony McCarten

Tisch 3b

Douglas Mountford hatte jemanden zum Mittagessen eingeladen; er erwartete seinen Gast an seinem Lieblingstisch und überflog die Weinkarte. Er hatte ausdrücklich diesen Tisch bestellt, der beim Personal und, seit er es wusste, auch bei ihm »Tisch 3b« hieß.

Es waren zwei Dinge, die Mountford an diesem Tisch mochte: Er stand am dichtesten am Hummerbecken, und man sah den Springbrunnen im Eingangsbereich, so dass Mountford stets die Wahl hatte, ob er den Kapriolen der Krustentiere zuschaute oder den beruhigenden Anblick des Wassers genoss, wie es zwischen Felsstückchen und Farnkraut sprudelte – eine kleine Kopfbewegung genügte, und er konnte von dem einen angenehmen Anblick zum anderen wechseln und wieder zurück. Er fühlte sich *heute* ganz außerordentlich gesund, geradezu gestählt, und jetzt noch an diesem Tisch, besser konnte es nicht kommen. Früher am Tag, als er die drei Treppen zu seiner Anwaltskanzlei hinaufgestiegen war, hatte er eine enorme Kraft gespürt. Er war kein Waschlappen. Seine Waden waren in Bestform und hatten ihn mit ungekannter Energie von Stufe zu Stufe schnellen lassen; und er war regelrecht hinaufgestürmt und dadurch zehn oder fünfzehn Sekunden zu früh an seinem Schreibtisch angekommen. Wenn man kräftige Beine und drei Treppen vor sich hatte, dann musste man sie *laufen* lassen. Oh ja, Douglas Mountford war inzwischen bei den trägeren Treppensteigern dafür bekannt, dass er sie mit eindrucksvoller Leichtigkeit im Treppenhaus überholte und dabei auch noch sanft beschleunigte. Sein Oberkörper bewegte sich dabei nicht eckig über die Stufen, sondern gleichmäßig, als gleite er auf Schienen.

Er beschloss, einen trockenen Weißen mit Charakter zu nehmen – keinen Chardonnay, vielleicht einen lokalen Weißburgunder – er widersetzte sich allem, was ihm modisch vorkam. Er fand einen Wein von einem kleinen Privatgut, den er einmal selbst dort gekauft hatte; dann legte er die Karte auf den Tisch und seine Hände darauf, ebenmäßig übereinander, und hob den Blick gerade noch rechtzeitig, um zu sehen, wie ein besonders großer Hummer sich anschickte, in die Plastikburg zu kriechen, eine der Hauptattraktionen seines Unterwasser-Vergnügungsparks. Er hatte diesen Hummer bereits ausgewählt und behielt ihn im Auge. Wenn sein Gast eingetroffen war und ein Drittel seiner Flasche Weißburgunder mit ihm getrunken hatte, würde er diesen Hummer der japanischen Kellnerin zeigen, die ihn dann aus dem Becken holte. Das Hauptgericht auszusuchen, wenn es noch auf den Beinen war, war ein Spaß, der für ihn nie seinen Reiz verlor.

Sie kam und setzte sich und gestattete ihm einen Kuss auf die Wange. »Hallo, Dad.«

»Hier. Probier einen Schluck Wein. Der gehört zu den besten, die sie hier haben. Im Handel überhaupt nicht mehr zu bekommen. Setz dich. Und ich habe mir schon einen Hummer ausgesucht.« Er sprach hastig, sah sie nicht an und zeigte mit dem Finger in alle erdenklichen Richtungen. Sie rutschte auf dem Stuhl hin und her und strich sich das Haar aus dem Gesicht.

»Du zeigst ihnen einfach, welchen du möchtest, und dann kommen sie und holen ihn für dich raus. Meiner ist der Große da, der gerade die Bastille stürmt. Der ist für mich. Du kannst jeden haben, den du willst. Da ist noch ein Großer irgendwo. Ich habe ihn gesehen. Halt die Augen offen. Der Kellner kommt gleich und nimmt deine Bestellung auf, und am besten überlegst du jetzt schon, was du haben willst, dann dauert es nachher nicht so lange. Wie findest du das Restaurant? Gefällt dir das Hummerbecken? Erstklassig, finde ich. Du kannst jeden haben, den du willst, und sie holen ihn für dich raus und stecken ihn in den Kochtopf. Und wenn die Journalisten kommen und für die Zeitungsbeilagen über unser Essen schreiben, dann schreiben sie immer nur über *Vegemite,* als ob das alles wäre, was wir hätten. Vegetarischen Brotaufstrich! Das klingt so herablassend – anders kann man es nicht sagen.«

Seit vier Jahren hatten sie sich nicht mehr gesehen. In dieser Zeit hatte keiner versucht, mit dem anderen Kontakt aufzunehmen. Sie hatten vollständig miteinander gebrochen. Der Bruch war sozusagen perfekt.

»Gut«, sagte sie.

Vier Jahre, ein Monat und ein paar Tage. Auch sie ließ den Blick lieber durchs Lokal schweifen, statt ihr Gegenüber anzusehen. Ihr Blick wanderte immer wieder zu dem Hummerbecken. Über ein Dutzend von ihnen kroch über den giftgrünen Sand. Es war ein hübsches Restaurant, das konnte sie nicht leugnen.

»Das Lokal hat internationales Niveau.«

Sie lächelte und nickte.

Mountford nickte ebenfalls, doch schien ihm ein Lächeln in so ehrwürdiger Umgebung unangebracht. Er wandte sich wieder dem Tisch zu und griff zur Speisekarte. Unwillkürlich tat sie dasselbe. »Und«, fragte er, »wie geht es dir? Du siehst ... älter aus.«

»Was hast du erwartet?«

»Und deine Arbeit? Wie geht es mit der Arbeit?« Er sah sie nicht an.

»Prima.«

»Bist du immer noch–«

»Ein Autogeschäft. Im Büro. Ich habe dir davon erzählt.«

»Das hast du.«

Der Kellner kam und schenkte ihre Gläser halb voll. Sie probierten den Wein und stellten die Gläser dann wieder ab.

»Ich kann nicht bleiben«, sagte sie. »Es tut mir leid. Ich habe versucht, dich anzurufen, aber deine Sekretärin hat mich nicht durchgestellt.«

Zum ersten Mal blickte Mountford auf, überrascht. »Du kannst nicht bleiben?«

Sie sah, wie er reagierte. »Ich muss wieder weg. Etwas mit dem Geschäft.«

Er hatte genau den Gesichtsausdruck, den er immer hatte, wenn ihm jemand seine Pläne durchkreuzte.

»Es tut mir leid«, sagte sie. »Ich muss wieder zurück.«

»Zurück? Zurück wohin? Ich habe dich vor einem Monat zu diesem Essen eingeladen. Ich habe diesen Tisch seit drei Wochen reserviert, und wenn du wusstest, dass du nicht kommen kannst, Sharon, dann hättest du es mir sagen sollen, damit ich abbestellen kann.«

»Tut mir leid, ich muss jetzt los.« Sie machte Anstalten aufzustehen. »Ich habe versucht, dich anzurufen.«

»Setz dich noch einen Augenblick.«

»Es ist meine Arbeitszeit. Ich sollte im Büro sein.«

»Setz dich einfach noch einmal her, ja? Sharon … Also bitte!« Er hatte die Stimme gehoben, und sie setzte sich wieder und sah ihn an. »Bitte.« Er rückte seine Krawatte zurecht und legte sein Besteck gerade. »Danke.«

»Ich habe es erst vor einer halben Stunde erfahren«, sagte sie. »Es ist sonst niemand im Laden.«

»Dem … was war es? Dem Autogeschäft?«

»Einer von den Jungs ist krank. Und jetzt ist keiner fürs Büro da.«

»Gut, dann rufe ich an. Ich spreche mit ihnen.«

»Wie willst du da anrufen? Das geht doch nicht.«

»Natürlich geht das. Ich lasse ein Telefon bringen, und dann spreche ich mit ihnen. Hast du die Nummer?«

»Wie willst du mit ihnen sprechen, wenn keiner da ist? Es ist keiner da; *ich* sollte auf das Büro aufpassen. Aber ich bin nicht da. Ich bin *hier*. Deshalb kannst du nicht anrufen.«

Douglas Mountford sah seine Tochter an. Sie war jetzt dreiundzwanzig. Sie war neunzehn gewesen, als sie miteinander gebrochen hatten, und jetzt sah sie älter aus, verändert, unordentlicher, ungepflegter. Gesund schien sie zu sein, aber eine erkennbare Frisur hatte sie keine. Sie trug Plastikohrringe in den Ohren, und ein Träger ihres Tops war über die Schulter gerutscht. Zum ersten Mal, seit sie neunzehn war, sah er sie an, seit damals, als er sie aus dem Familienregister gestrichen hatte, und dann hob er gebieterisch die Hand. »Kellner!«

Ein Kellner kam, und er bestellte ein Telefon.

»So, das reicht dann«, sagte Sharon, erhob sich abrupt, schob den Stuhl zurück und griff nach ihrer Handtasche. Aber er kam ihr zuvor.

»Jetzt wartest du noch. Der Kellner kommt.«

»Gib mir die Handtasche. Ich will meine Handtasche. Gib her.«

Sie hatte danach geangelt, aber jetzt hielt sie sich zurück, weil die Leute von den anderen Tischen schon herübersahen. Sie wollte heftiger werden, aber er übertönte sie.

»Da kommt er. Setz dich. Die Leute starren schon. Du benimmst dich wie eine Verrückte.«

Sie beugte sich ganz nahe zu ihm und sagte übertrieben deutlich: »Vergiss es. Vergiss es. Das ist bescheuert.«

»Schön«, sagte er. »Das tue ich. Und jetzt setz dich. Der Kellner kommt.«

Der Kellner stellte ein schnurloses Telefon auf den Tisch, verneigte sich knapp und ging dann wieder.

»O.K. Gib mir die Nummer.«

»Ich wusste, dass so etwas passieren würde. Ich *wusste* es. Irgendwas in der Art.«

»Entweder sagst du mir die Nummer, oder ich suche sie mir aus deiner Tasche.«

Sie warf einen Blick über die Schulter, sichtlich verärgert, und sah ein Bild, das dort an der Wand hing – einen romantischen Sonnenuntergang in einem alten viktorianischen Rahmen. »Gut«, sagte sie. »Es ist jemand im Laden.«

»Danke«, sagte er. »Warum wolltest du so tun, als hättest du keine Zeit? Wenn du Angst vor diesem Treffen hast, warum bist du dann nicht ehrlich und sagst es? Ein erwachsener Mensch hätte in so einem Fall –«

»Fang nicht so an«, zischte sie. »Es ist mir ernst!«

»– hätte in so einem Fall einfach abgesagt. Der Rest ist dummes Getue. Wenn du Angst hast –«

»Das Einzige, wovor ich Angst habe –«

»Gut«, sagte er, »so kommen wir nicht weiter.«

Sie war rot geworden. »– das EINZIGE, wovor ich –«

»Ja? Was ist das Einzige? Ich warte.«

Sie schüttelte den Kopf, eine Geste, die Abscheu und zugleich auch Reife ausdrücken sollte. »Warum wolltest du dich überhaupt mit mir treffen, wenn du dich so benimmst?«

»Bitte? Ich verstehe nicht, was du sagen willst.« Ein Lächeln umspielte nun seine Lippen, und er schlug die Speisekarte auf, wie um zu sagen, dass ein gemeinsames Essen ja nun unumgänglich sei.

»Wenn du kein Wort sagen kannst, ohne mich zu beleidigen …«

»Ich? Dich beleidigen? Ich habe dich nicht beleidigt. Liebe Güte!«

»Du merkst es überhaupt nicht – das ist ja das Schlimme.«

»Ich *verstehe* dich nicht einmal, wie kann ich dich da beleidigen?«

In diesem Augenblick hasste Sharon ihn – sein Lächeln und die feige Art, wie er nicht von der Speisekarte aufblickte. Sie hasste ihn sogar seiner guten Gesundheit wegen. Sie hatte gehofft, er sei vielleicht etwas angeschlagen, aber das war er nicht.

Sie hatte mit ihm gebrochen, weil sie keine Möglichkeit gefunden hatte, ihm weh zu tun. Als neunzehnjährige Tochter hatte sie nicht das kleinste Löchlein in sein Leben bohren können, ihm keinen nennenswerten Schmerz zufügen, und so hatte sie mit ihm gebrochen. Jetzt, nach vier Jahren, hoffte sie, dass vielleicht irgendetwas ihn verändert hatte oder sie verändert hatte oder etwas an ihrer Beziehung zueinander.

»Was soll das?«

»Was soll was?«

»Das Essen hier. Warum machen wir das?«

»Wir machen es, weil ich dir gestatte, in unsere Familie zurückzukehren. Wir essen zusammen, und du gibst mir ein Versprechen oder zwei, und dann vergessen wir alles, was geschehen ist. Das soll das. So, und jetzt such dir deinen Hummer aus. Man kann auch halbe bekommen, wenn du keinen ganzen essen kannst.«

Sharon nahm das Lamm – Babykoteletts in einer Rosmarin-und-Sherry-Brandy-Sauce.

»Bist du noch mit diesem ...Wie-hieß-er-gleich zusammen?«, fragte er.

»Tony.«

»Tony? Oder nicht mehr Tony?«

»Das war vor vier Jahren.«

»So etwas kommt vor, Sharon.«

»Was kommt vor?«

»Du wirst es nicht glauben, aber es kommt vor, dass Leute eine Beziehung länger als zwei oder drei Wochen aufrechterhalten.«

»Wir waren zweieinhalb *Jahre* zusammen.«

»Und dann?«

»Das geht nur mich etwas an.«

»Was ist geschehen?«

»Du würdest es nie verstehen, wenn ich dir davon erzählte; verschwenden wir also nicht unsere Zeit.« Sie nahm einen kleinen Schluck von dem Wein, auf eine Art, die zeigte, dass sie wusste, was Wein und was ein Kristallglas war. Mit Tony war sie zusammen gewesen, als sie mit ihrer Familie gebrochen hatte. Die Behandlung, die Tony durch die Familie erfahren hatte, hatte den letzten Anstoß gegeben. Er pflegte Automobile und wurde von den Mountfords »der Autowäscher« genannt. Sharons neunzehntes Weihnachtsfest war ihr schlimmstes gewesen. Sechseinhalb Stunden hatte ihre Familie den durchaus präsentablen Anthony McElroy ignoriert, bis ihre Großmutter sich ihm zugewandt und im Ton unverhohlener Herablassung gefragt hatte: »Und was haben Sie mit unserer Sharon zu tun?«

Im ganzen Raum war es still geworden, sämtliche Gesichter hatten ihn zum ersten Mal angeblickt. Seine Antwort war kurz und prägnant. »Ich bumse sie.«

Erhobenen Hauptes hatte Tony den Raum verlassen, und Sharon, verliebt, war ihm gefolgt.

Sie hätte auf der Stelle mit der Familie gebrochen, aber sie wurde krank. Schon seit sechs Monaten hatte sie nicht mehr richtig gegessen. Magersucht, Darmbeschwerden. Sie konnte nicht mehr.

Mountford winkte der japanischen Kellnerin am anderen Ende des Restaurants. Sie nickte und ging in die Küche, um ihren Handschuh zu holen.

»Jetzt kommt der Teil, den ich mag. Warte nur, bis du das Schauspiel siehst. Großartig. Wie diese kleine Frau das macht. Sie muss sich auf die Zehenspitzen stellen, damit sie an den Boden des Beckens kommt.«

»Ich komme nicht zurück.«

»O doch, das tust du.«

»Wieso bist du so sicher?«

»Wir haben Familienrat gehalten. Es ist beschlossen – wir lassen dich zurückkommen.«

»*Ihr* lasst mich zurückkommen?«

»Ich habe dich hinausgeworfen, das weißt du, aber die Gemüter haben sich beruhigt. Der ganze Unsinn, den du an dem Abend geredet hast, dass die Familie dich ›wie eine Gefangene‹ halte – ich kann mich an die genaue Formulierung nicht mehr erinnern – und dass ich irgendwie für alles verantwortlich bin, was je in deinem Leben schiefgegangen ist, sogar dafür, dass du dir den Finger in den Hals gesteckt hast, sobald du auch nur einen Bissen Nahrung zu dir nahmst. Wenn du glaubst, Eltern seien verantwortlich für das, was aus ihren Kindern wird, dann irrst du dich, dann irrst du dich gewaltig.«

»Von einer Gefangenen war nie die Rede. Ich habe gesagt, dass ich euch vollkommen gleichgültig bin; dass ihr mich, solange ich nichts tat, was euch in Verlegenheit brachte, ignorieren konntet, wie ihr alles ignoriert habt, was mit echten menschlichen Gefühlen zu tun hat.«

»Donnerwetter. Hast du das einstudiert?«

»Weißt du, ich habe lange darüber nachgedacht – genau genommen vier Jahre lang – und bin zu dem Schluss gekommen, dass *du* derjenige bist, der die Probleme hat. Nicht ich – mir geht es bestens. Menschen sind in bestimmten Bereichen unterschiedlich weit entwickelt, und du bist zwar überentwickelt, wenn es darum geht, große Reden zu schwingen und den anderen zu zeigen, was für ein toller Anwalt du bist, aber wenn es mal darum geht, dich anderen zu öffnen, deiner Frau, deinen Kindern, den Leuten, denen du nahestehen solltest, für die du etwas wie Liebe empfinden solltest, dann bist du ein Zwerg, ein jämmerlicher Zwerg.«

»Tja, ja, ja.« Mountford lächelte still vor sich hin. »Deine Mutter und ich, wir haben uns in den vergangenen vier Jahren manches Mal gefragt: Was mag Sharon wohl jetzt gerade tun? Ob sie einen Eiswürfel lutscht? Das war doch immer eine anständige Mahlzeit für dich, nicht wahr? Aber jetzt weiß ich es. Jetzt weiß ich es. Du hast in der Lotusstellung dagesessen und hast deine *Einführung in Carl Gustav Jung* auswendig gelernt, damit du andere für alle Probleme verantwortlich machen konntest, die du je in deinem Leben gehabt hast. Und was hast du gelernt? Dass ich mit dir hätte angeln gehen sollen? *Ich* hätte dich vernachlässigt? Nein, mein Kind, du hast in deinem ganzen Leben nur ein einziges Problem gehabt, und das ist, dass du ein Faulenzer bist, der sich nicht zusammenreißen kann.«

Die japanische Kellnerin kam nun aus der Küche, einen Gummihandschuh an der linken Hand. »Aha!«, sagte Mountford. »Jetzt geht's los.« Das war der Augenblick, auf den er gewartet hatte. Die Kellnerin ging zu dem Becken und wandte sich dann Mountford zu, damit er ihr Anweisungen gab. Mit einem schwungvollen Fingerzeig wählte er den großen Hummer ganz hinten. Sie lächelte, stellte sich auf die Zehenspitzen und fasste in das tiefe Bassin. Andere Gäste hielten im Essen inne und sahen dem Schauspiel zu. Mountford strahlte vor Vergnügen. »Das ist er!«, rief er, so laut, dass man ihn noch mehrere Tische weiter hören konnte. »Das ist er! Genau der! Oho, seht ihn euch an!« Die Kellnerin hatte den Hummer aus dem Wasser gefischt; er kämpfte in der Luft um sein Leben, schlug die Scheren aneinander und den breiten Schwanz hin und her. Mountford triumphierte in der schieren Gewissheit, dass er das Beste gewählt hatte, was die Speisekarte zu bieten hatte. Die Kellnerin eilte zwischen den Tischen hindurch zur Küche, das tropfende Tier in der behandschuhten Hand, wo es sich an der Luft wand und immer weiter um sich schlug.

»Ein erstklassiges Restaurant«, sagte Mountford, als die Aufregung sich wieder gelegt hatte. »Mittlerweile komme ich so oft her, wie ich nur kann.« Er nahm einen Schluck Wein. »Früher habe ich überhaupt keinen Hummer gemocht. Ich konnte ihn nicht ausstehen, um ehrlich zu sein. Aber seit ich das Lokal hier kenne, kann ich gar nicht genug davon bekommen.«

Dann erzählte er von der Familie, von ein paar Dingen, die sich in den vier Jahren, die Sharon fort gewesen war, ereignet hatten, gerade so, als hätte er ihren Ausbruch vergessen. Das Gespräch kehrte erst wieder in seine alten Bahnen zurück, als sie sagte: »Ich werfe dir nichts vor. Darüber bin ich hinaus. Anfangs war ich wütend, aber das habe ich hinter mir. Ich habe gelernt, dir zu vergeben. Aber zurückkommen und so tun, als sei nichts gewesen – es ist etwas gewesen, und das kann ich nicht vergessen. Und ich werde mit Sicherheit nicht zulassen, dass du mir noch einmal mein Selbstwertgefühl nimmst. Das lasse ich nicht zu. Du zerstörst Menschen. Das ist die Wahrheit. Und ich werde nicht zulassen, dass du das mit mir tust. Nie wieder. Ich bin glücklich, und ich habe die Absicht, das auch zu bleiben.«

Er erstickte beinahe an seinem Bissen Brot. »*Ich zerstöre Menschen*?«, rief er, und seine Wangen röteten sich. »Was zum Teufel soll das heißen? Bist du endgültig übergeschnappt? Weißt du, wie du klingst? Als ob du eins mit dem Psychologiebuch über den Schädel bekommen hättest!« Sein Blutdruck stieg, aber das war nichts Ungewöhnliches bei ihm. Es war ihm geradezu eine Genugtuung, wenn er sich über Fragen der Moral und der Gerechtigkeit empören konnte. »Das ist das Schlimme mit der Psychologie. Immer ist jemand anders schuld. Da macht man es sich sehr leicht – deswegen ist sie ja auch so beliebt.« Er stützte sich mit den

Ellenbogen auf den Tisch. »Deine Situation – ich weiß überhaupt nicht, wie ich es nennen soll – dein Problem? Gut, nehmen wir den Ausdruck, den deine Mutter dafür verwendet, dein Problem. Die Sache mit dem Essen. Du glaubst, du kannst mich dafür verantwortlich machen, weil ich – ja, was? – ›Versagensangst‹ in dir geweckt habe? Dir ›die Chance auf eine ungehinderte Entwicklung genommen‹? Liebe Güte! *Das sind doch alles Phrasen!* Ich habe dir die Chancen genommen? Ist das die Erkenntnis, auf die du dein neues Glück baust? Glaub mir, dann solltest du zu deinem Psychiater gehen und dir dein Geld zurückgeben lassen. Dann kannst du dich begraben lassen. Du bist krank, mein Kind, du bist sehr, sehr krank!«

Sharon saß reglos da, keine einzige Empfindung zeigte sich auf ihrem Gesicht.

»Es gibt keine Schwierigkeit im Leben«, fuhr er fort, »die sich nicht durch Selbstdisziplin bewältigen lässt. Das Leben ist nicht das große Geheimnis, für das du es offenbar hältst. Der Mensch ist nicht das Opfer obskurer psychischer Kräfte. Die Welt ist echt, Sharon. Du kannst sie mit Händen greifen. Und wenn du meinst, du könntest nichts mehr essen, dann mach nicht deinen Vater dafür verantwortlich. Versuch nicht, mir das anzuhängen. Das nehme ich dir nicht ab.«

Er blickte ihr nun fest ins Gesicht und senkte die Stimme. »Ich habe gestern mit deinem Chef gesprochen, also spar dir die Geschichte, dass du ›glücklich‹ bist. Ich *weiß*, wie es dir geht, Sharon. Er hat mir gesagt, dass du Leuten Geld schuldest. Er sagt, du hast Mühe, es zurückzuzahlen, und schläfst bei jemandem auf dem Wohnzimmersofa. Ist das wahr, Sharon? Auf dem Sofa? Er fand, du brauchtest Hilfe. Er war so besorgt, dass er bei mir angerufen hat.«

Sie antwortete nicht. Sie strich sich eine Haarsträhne aus dem Gesicht.

»Das Loch, in dem du steckst, hast du dir selbst gegraben, nicht ich. *Du* hast es gegraben. Du bist hineingestiegen, und jetzt kommst du nicht mehr heraus. Deshalb reiche ich dir die Hand – weil du in Schwierigkeiten bist, weil ich nicht will, dass du wieder von einer Klinik zur nächsten ziehst. Ich nehme dich mit offenen Armen auf. Aber eines will ich als Gegenleistung dafür. Ich will, dass du zugibst, dass ich für diesen Schlamassel nicht verantwortlich bin. Das bin ich nämlich nicht.«

Er legte beide Handflächen auf das wunderbar weiße Tischtuch, das bis fast hinunter zum Marmorboden reichte. Sharon saß einfach nur da, bleich, benommen, die Hände im Schoß übereinandergelegt.

»Ich warte. Wenn du es nicht sagst, helfe ich dir nicht.«

»Wenn ich was nicht sage?« Ihre Stimme brach. »Was soll ich zu dir sagen?«

»Sag es einfach, dann sehen wir weiter. Und hör auf zu bibbern, um Himmels willen. Sprich mit mir.«

»Was soll ich sagen?«

»Dann sehen wir weiter. Keine Vorwürfe.«

»Das bedeutet doch nichts. Es gibt nichts zu sagen.« Eine Träne kullerte ihr über die Wange.

»Jetzt mach schon, sag es. Jetzt gleich.«

»Was willst du hören?«

»SAG ES! Es ist niemandes Schuld.«

Jetzt liefen ihr die Tränen. »Das bedeutet doch nichts. Was ändert sich dadurch?«

»Wenn nicht, dann verlasse ich auf der Stelle dieses Lokal, Sharon, und du kannst sehen, wie du allein fertig wirst. Es ist niemandes Schuld!«

Sie hielt inne, sah ihm in das gerötete Gesicht. Er hatte sich vorgebeugt, sein Gesicht drohend über ihr, und seine Faust schwebte über der Tischplatte, als werde er gleich darauf schlagen wie ein Richter mit seinem Hammer.

Aber weitere Tränen rannen über die Wangen seiner Tochter. Er ärgerte sich über dieses weibliche Fluchtverhalten. Er wollte, dass sie sich zusammenriss. Langsam senkte sich die Faust. »Lass uns... meine Güte, Sharon! Wisch dir die Tränen ab!« Er reichte ihr das Taschentuch aus seiner Westentasche. »Schon gut. Lassen wir das jetzt. Es ist ja auch so gut wie eine Antwort. Dann sind wir uns einig. Erledigt.« Er hielt ihr das Taschentuch hin, dann legte er es auf den Teller vor ihr und schob ihn zu ihr hin. »Ab jetzt schreiten wir gemeinsam voran. Wir lassen diesen ganzen Unsinn hinter uns. Einverstanden? Dann wisch dir die Tränen ab. Das Essen kommt.«

»Etwas stimmt nicht mit dir«, sagte Sharon. »Das ist mir klargeworden. Ich weiß nicht, wie ich es sagen soll – aber irgendetwas an dir ist vollkommen falsch.« Doch er hatte sich schon abgewandt, rutschte auf seinem Stuhl hin und her und winkte den Kellner herbei. Seine Aufmerksamkeit galt jetzt ganz dem Essen, und er hörte ihr nicht mehr zu.

Sie sprach langsam und ruhig. »Das Schlimme ist, dass ich niemand anderen habe. Du bist der Einzige, der das in Ordnung bringen könnte, aber du kannst es nicht, weil etwas in deinem Inneren nicht stimmt. Wenn ich nur wüsste, was.«

»Da kommt er«, sagte er und strahlte mehr denn je. »Sieh dir diesen Hummer an!«

Es war, als würde ihre Stimme ausgeblendet.

»Und so geht es weiter und immer weiter. Weil ich einfach nicht dahinterkomme, was mit dir los ist. Du merkst es überhaupt nicht. Und du wirst es auch nie.«

»Hier!«, rief er und winkte noch einmal dem Kellner, besorgt, der Mann könne sich zwischen den Tischen 5 und 6b verirren.

Sharon schwieg jetzt. Ihr Gesicht war ausdruckslos. Sie saß vollkommen still.

Der Kellner erschien mit elegantem Schwung, balancierte beide Teller auf einem Arm, einen auf dem Unterarm, den anderen auf der Handfläche. Mountford bekam seinen Hummer vorgesetzt. Das große, noch eben so muntere Exemplar, das er bewundert, ja, mit dem er sich identifiziert hatte. Ein Wesen voller Tatkraft, so wie er selbst. Durch und durch lebendig, zu seiner Zeit. Jetzt war er in zwei Hälften zerteilt, und über beide lief die Butter. Mountford spülte sich den Mund mit Wein aus und griff zur Gabel. Mittlerweile war er wirklich hungrig. Als auch Sharon ihre Mahlzeit vor sich hatte, langte er herzhaft zu. Vielleicht hatte es heute in der Küche ein wenig länger gedauert. Die lange Wartezeit ohne Essen hatte ihn reizbar gemacht, und er hatte weniger Geduld mit Sharon gehabt, als er eigentlich hätte haben sollen. Doch jetzt stand der große Hummer vor ihm, und er schluckte seinen ersten Bissen, spülte ihn mit Wein hinunter und nahm gleich zwei weitere Gabeln voll ... bis die Gabel mitten in der Bewegung innehielt. Etwas war ihm aufgefallen. Seine Augen weiteten sich. Auf seiner Gabel. Weiß und geringelt. Anfangs begriff er gar nicht, was das war. Aber dann musste er es sich eingestehen. Er blinzelte, sah noch einmal hin. Würmer, mindestens ein halbes Dutzend auf seiner Gabel und wer weiß wie viele zwischen seinen vollen Backen. Würmer. »*Aaaa*«, würgte er und spuckte alles in seine Serviette. »*Paaaa!*«

Zwei Dutzend Köpfe drehten sich Tisch 3b zu, wie Köpfe es immer tun, wenn sie diese Laute hören. Gäste an den Tischen 2d, 5a, 3c und vielen weiteren blickten entsetzt. »Würmer!«, rief Mountford und stieß seinen Teller von sich.

»Würmer!« Das Wort hallte durch den Raum. Würmer? Kein Wunder, dass dieser große Hummer so überaktiv gewesen war. Parasiten hatten sich durch seine Eingeweide gefressen. »Würmer!«, schrie Mountford. »Würmer!«

John Irving

Brennbars Fluch

Ernst Brennbar, mein Mann, widmete sich genüsslich seiner zweiten Zigarre und seinem dritten Cognac. Langsam stieg die Wärme in ihm hoch und rötete seine Wangen. Seine Zunge wurde träge und schwer. Er wusste, wenn er nicht bald etwas sagte, würde ihm die Kinnlade herunterklappen, und er würde rülpsen oder Schlimmeres tun. Sein schlechtes Gewissen rumorte in seinem Magen, und er dachte an die Flasche 64er Brauneberger Juffer Spätlese, die seiner großen Portion *Truite Metternich* Gesellschaft geleistet hatte, und seine roten Ohren pochten bei der lebhaften Erinnerung an den 61er Pommard Rugiens, in dem er sein *Bœuf Crespi* ertränkt hatte.

Brennbar warf mir quer über die leer gegessenen Teller und Schüsseln hinweg einen Blick zu, aber ich befand mich gerade mitten in einem Gespräch über Minderheiten. Der Mann, der auf mich einredete, schien einer solchen anzugehören. Aus irgendeinem Grund hatte er auch den Ober in die

Diskussion hineingezogen – vielleicht war's als eine Geste gemeint, um die Klassenschranken zu überwinden. Vielleicht lag es aber auch daran, dass mein Gesprächspartner und der Ober derselben Minderheit angehörten.

»Sie sind von so was natürlich unbeleckt«, sagte der Mann zu mir, doch ich hatte gar nicht richtig zugehört – ich sah meinen Mann an, dessen Gesicht rote Flecken bekam.

»Na ja«, konterte ich, »ich kann mir aber ganz gut vorstellen, wie das gewesen sein muss.«

»Vorstellen!«, rief der Mann. Er zupfte den Ober am Ärmel, als wollte er ihn um Hilfe bitten. »Wir haben es am eigenen Leib erfahren. Da können Sie Ihr *Vorstellungsvermögen* lange bemühen – Sie werden es uns nie richtig nachfühlen können. Wir mussten Tag für Tag damit leben!« Der Ober fand es angebracht, dem zuzustimmen.

Eine Frau, die neben Brennbar saß, sagte unvermittelt: »Das ist doch nichts anderes als das, was uns Frauen schon immer zugemutet worden ist – und heute noch zugemutet wird.«

»Ja«, sagte ich schnell, sah den Mann an und ging zum Gegenangriff über. »Sie zum Beispiel versuchen gerade, mich in eine Ecke zu drängen.«

»Von wegen – keine Form von Unterdrückung ist mit religiöser Unterdrückung zu vergleichen«, sagte er und zog, um seinen Worten Nachdruck zu verleihen, den Ober am Arm.

»Fragen Sie mal einen Schwarzen«, sagte ich.

»Oder eine Frau«, sagte die Frau neben Brennbar. »Sie reden, als hätten Sie ein Monopol auf Diskriminierung.«

»Ist doch alles blödes Gelaber«, sagte Brennbar und regte langsam seine träge Zunge. Die anderen verstummten und musterten meinen Mann, als hätte er soeben ein Loch in einen teuren Teppich gebrannt.

»Schatz«, sagte ich, »wir sprechen über Minderheiten.«

»Schließt mich das vielleicht aus?«, fragte Brennbar. Er ließ mich in einer Wolke aus Zigarrenqualm verschwinden. Die Frau neben ihm schien sich jedoch durch seine Bemerkung provoziert zu fühlen; sie reagierte hitzig.

»Wie mir scheint, sind Sie weder Schwarzer«, sagte sie, »noch Jude und schon gar nicht eine Frau. Sie sind noch nicht mal Ire oder Italiener oder so was. Ich meine: Brennbar – was ist das für ein Name? Ein deutscher?«

»*Oui*«, sagte der Ober. »Ein deutscher Name, das weiß ich genau.«

Und der Mann, dem es so viel Spaß gemacht hatte, auf mich loszugehen, sagte: »Ah, eine wunderbare Minderheit.«

Die anderen lachten – ich allerdings nicht. Mir waren die Signale vertraut, mit denen mein Mann zu erkennen gab, dass er bald die Beherrschung verlieren würde; der Zigarrenqualm, den er mir ins Gesicht blies, ließ auf ein ziemlich fortgeschrittenes Stadium schließen.

»Mein Mann ist aus dem Mittelwesten«, sagte ich vorsichtig.

»Ach, Sie armer Mensch«, sagte die Frau neben Brennbar und legte ihm mit gespieltem Mitleid die Hand auf die Schulter.

»Aus dem Mittelwesten – wie grässlich«, murmelte jemand am anderen Ende des Tisches.

Und der Mann, der mit der Bedeutsamkeit, die er einem Minensuchgerät beimessen würde, den Ärmel des Obers festhielt, sagte: »Also, das ist nun mal eine echte Minderheit!« Gelächter erklang am ganzen Tisch, während ich sah, wie mein Mann ein weiteres Stück seiner Contenance verlor: Das las ich aus seinem starren Lächeln und der Art, wie er bedächtig den dritten Cognac hinunterschüttete und sich betont ruhig einen vierten einschenkte.

Ich hatte so viel gegessen, dass ich das Gefühl hatte, als wäre ich bis zum Dekolleté gefüllt, aber ich sagte: »Ich hätte gern noch ein Dessert, und Sie?« Dabei sah ich zu, wie mein Mann mit Bedacht den vierten Cognac kippte und sich sachte einen fünften einschenkte, ohne einen Tropfen zu verschütten.

Der Ober erinnerte sich seiner Aufgabe; er eilte davon, um die Speisekarte zu holen. Und der Mann, der versucht hatte, zwischen sich und dem Ober eine Art ethnischer Verbundenheit herzustellen, musterte Brennbar herausfordernd und sagte mit gönnerhafter Herablassung: »Ich wollte lediglich darauf hinweisen, dass die Mechanismen religiöser Unterdrückung schon immer wesentlich subtiler und allgegenwärtiger waren als die Diskriminierungen, derentwegen wir seit neuestem auf die Barrikaden gehen, mit all diesem Geschrei von rassistischen, sexistischen ...«

Brennbar rülpste – es klang wie ein Schuss, wie der Knauf eines Messingbettgestells, der in einen Geschirrschrank geworfen wird. Auch diese Phase kannte ich; ich wusste nun, dass das Dessert zu spät kommen würde und dass mein Mann im Begriff stand, zum Angriff überzugehen.

»Die Mechanismen jener Diskriminierung«, begann Brennbar, »der ich in meiner Jugend ausgesetzt war, sind so subtil und allgegenwärtig, dass sich bis heute keine Gruppe gefunden hat, um dagegen zu protestieren, dass kein Politiker es gewagt hat, sie auch nur zu erwähnen, dass keine Bürgerrechtsbewegung einen Präzedenzfall vor ein Gericht gebracht hat. Nirgendwo, in keiner größeren oder kleineren Stadt, gibt es so etwas wie ein Ghetto, in dem die Betroffenen einander Halt geben könnten. Die Diskriminierung, der sie ausgesetzt sind, ist so total, dass sie sich sogar untereinander diskriminieren – sie schämen sich, dass sie so sind, wie sie sind, sie schämen sich, wenn sie allein sind, und sie schämen sich nur noch mehr, wenn sie mit Leidensgenossen gesehen werden.«

»Aber ich bitte Sie«, sagte die Frau neben Brennbar. »Wenn Sie von Homosexualität reden, dann müssen Sie doch zugeben, dass das heute nicht mehr...«

»Ich rede von Pickeln«, sagte Brennbar. »Von Akne«, fügte er mit einem bedeutungsschweren und giftigen Blick in die Runde hinzu. »Von Pepeln«, sagte Brennbar. Die, die es wagten, starrten das vernarbte Gesicht meines Mannes an, als würden sie durch ein Lazarett in einem Katastrophengebiet geführt. Neben dem Schrecken, den dieser Anblick hervorrief, war unser Stilbruch, *nach* dem Cognac und den Zigarren ein Dessert zu bestellen, von untergeordneter Bedeutung. »Sie alle haben Leute mit Pickeln gekannt«, sagte Brennbar anklagend. »Und Sie fanden die Pickel abstoßend, stimmt's?« Die anderen Gäste schlugen die Augen nieder, aber sein versehrtes Gesicht muss sich ihnen unauslöschlich eingeprägt haben. Diese Male, diese Narben sahen aus, als wären sie eingekerbt. Gott – er war wunderbar.

Einige Schritte von unserem Tisch entfernt verharrte der Ober und verweigerte die Herausgabe seiner Speisekarten an diese seltsame Gesellschaft, als fürchtete er, sie könnten von unserem Schweigen verschluckt werden.

»Glauben Sie vielleicht, es war leicht, in eine Drogerie zu gehen?«, fragte Brennbar. »Eine ganze Kosmetiktheke, die Sie daran erinnert, und die Verkäuferin grinst Ihnen in das picklige Gesicht und sagt laut: ›Womit kann ich Ihnen helfen?‹ Als ob sie es nicht wüsste. Wenn sich schon die eigenen Eltern schämen. Diese zarten Andeutungen: Ihr Bettzeug wird getrennt gewaschen, und beim Frühstück sagt Ihre Mutter: ›Schatz, du weißt doch, das blaue Handtuch ist deins.‹ Und Sie sehen, wie Ihre Schwester blass wird, aufspringt und nach oben rennt, um sich noch mal zu waschen. Diskrimination und Aberglauben! Herrgott – man könnte meinen, Pickel wären ansteckender als Tripper! Nach der Sportstunde fragt einer, ob ihm jemand seinen Kamm leihen kann. Sie bieten ihm Ihren an und sehen, wie er sich innerlich windet: Er betet um einen Ausweg, er stellt sich vor, wie Ihre Pickel sich auf seiner zarten Kopfhaut ausbreiten. Bis vor kurzem noch ein weitverbreiteter Irrtum. Bei Pickeln dachte man automatisch an Dreck. Leute, die Eiter produzieren, waschen sich eben nicht.

Ich schwöre beim Busen meiner Schwester«, sagte Brennbar (er hat keine Schwester), »dass ich mich dreimal täglich von Kopf bis Fuß gewaschen habe. Einmal habe ich mein Gesicht elfmal gewaschen. Jeden Morgen stand ich vor dem Spiegel, um die neuesten Entwicklungen zu begutachten. Wie das Zählen gefallener Feinde in einem Krieg. Vielleicht hat die Pickelcreme in der Nacht zwei verschwinden lassen, aber in derselben Zeit sind vier neue hinzugekommen. Man lernt, die größten Erniedrigungen zur unglücklichsten Zeit zu ertragen: Am Morgen des Tages, an dem Sie endlich mal eine Verabredung – mit einer Unbekannten – haben, erscheint auf der Oberlippe ein neuer Pickel, der den Mund ganz schief aussehen lässt. Und eines Tages wird von den paar Leuten, die Sie zur Not als Freunde bezeichnen könnten, aus irregeleitetem Mitleid oder aus abgrundtiefer, niederträchtigster Grausamkeit eine Verabredung für Sie arrangiert: eine Verabredung mit einem Mädchen, das *ebenfalls* ein Pickelgesicht hat! Tief gedemütigt sehnen Sie beide das Ende des Abends herbei. Haben die anderen vielleicht gedacht, Sie würden Tipps austauschen oder Narben zählen?

Pepelismus!«, schrie Brennbar. »Das ist das Wort dafür: Pepelismus! Und Sie, Sie alle, sind *Pepelisten*, da bin ich mir sicher«, murmelte er. »Sie haben ja keine Ahnung, wie schrecklich ...« Seine Zigarre war ausgegangen; offensichtlich sehr erregt, zündete er sie umständlich wieder an.

»Nein«, sagte der Mann neben mir. »Oder vielmehr, ja ... Ich kann verstehen, wie furchtbar das für Sie gewesen sein muss, wirklich.«

»Es war etwas ganz anderes als Ihr Problem«, sagte Brennbar finster.

»Nein, das heißt, ja – ich meine, eigentlich ist es doch etwas Ähnliches.« Er tastete sich unsicher vor. »Ich kann mir gut vorstellen, wie schlimm das ...«

»Vorstellen?« sagte ich, plötzlich ganz Ohr, und verzog den Mund zu meinem schönsten Lächeln. »Und was haben Sie eben noch zu mir gesagt? Sie *können* ihm das gar nicht nachfühlen. Er musste Tag für Tag damit *leben*.« Ich lächelte meinen Mann an. »Das waren wirkliche Pickel«, sagte ich zu dem, der mich vorhin angegriffen hatte. »Die kann man sich nicht vorstellen.« Dann beugte ich mich über den Tisch und streichelte liebevoll Brennbars Hand. »Gut gemacht, Schatz«, sagte ich. »Jetzt steht er mit dem Rücken zur Wand.«

»Danke«, sagte Brennbar, völlig entspannt. Seine

Zigarre brannte wieder; er schwenkte das Cognacglas unter seiner Nase und schnupperte daran wie an einer Blume. Die Frau neben Brennbar war unsicher. Sanft und fast zudringlich legte sie ihm die Hand auf den Arm und sagte: »Ach, jetzt verstehe ich: Sie haben uns ein bisschen auf den Arm genommen. Oder nicht?«

Brennbar hüllte sie in eine Rauchwolke, bevor sie Gelegenheit hatte, in seinen Augen zu lesen; ich kann auch so in seinen Augen lesen.

»Nein, er hat Sie nicht auf den Arm genommen – stimmt's, Schatz?«, sagte ich. »Ich glaube, er hat es eher im übertragenen Sinn gemeint«, erklärte ich, und die anderen betrachteten Brennbar nur noch argwöhnischer. »Er wollte Ihnen vor Augen führen, wie es ist, als intelligenter Mensch in einer dummen Umwelt aufzuwachsen. Er meinte damit, dass Intelligenz etwas so Ausgefallenes – und so Seltenes – ist, dass Leute wie wir, die wir wirklich denken können, ständig von der Masse der Dummen diskriminiert werden.«

Die Mienen der Gäste hellten sich auf: Brennbar rauchte; er konnte ganz schön aufreizend sein.

»Natürlich«, fuhr ich fort, »bilden intelligente Menschen eine der kleinsten Minderheiten. Sie müssen den ungenierten Schwachsinn, die offenkundige Idiotie dessen ertragen, was *populär* ist.

Für einen intelligenten Menschen ist Popularität die vielleicht größte Beleidigung. Und darum«, sagte ich und zeigte auf Brennbar, der wie ein Stillleben wirkte, »ist Akne eine ideale Metapher für das Gefühl, unpopulär zu sein, mit dem jeder intelligente Mensch fertig werden muss. Natürlich macht man sich als intelligenter Mensch unbeliebt. Intelligente Menschen sind das nun mal. Sie sind suspekt, weil man hinter ihrer Intelligenz eine Art Perversion wittert. Es ist ein bisschen wie das alte Vorurteil, dass Leute mit Pickeln sich nicht waschen.«

»Na ja«, sagte der Mann neben mir – er erwärmte sich langsam für das Thema, das, wie er zu glauben schien, wieder auf sichereren Grund zurückkehrte. »Der Gedanke, dass die Intellektuellen eine Art Volksgruppe darstellen, ist natürlich nicht neu. Amerika ist sowieso kein gutes Pflaster für Intellektuelle. Nehmen Sie nur das Fernsehen. Da sind Professoren automatisch kauzige Exzentriker mit dem Temperament einer Großmutter; alle Idealisten sind immer entweder Fanatiker oder Heilige, kleine Hitler oder Jesusse. Kinder, die lesen, tragen eine Brille und wünschen sich insgeheim, sie könnten so gut Baseball spielen wie die anderen. Wir beurteilen einen Mann lieber nach dem Geruch seiner Achselhöhlen. Und wir mögen es, wenn sein Geist von jener sturen Loyalität beherrscht wird, die wir an Hunden so bewundern. Aber ich muss schon sagen, Brennbar – die Analogie zwischen Ihren Pickeln und dem Intellekt ...«

»Nicht Intellekt«, berichtigte ich, »Intelligenz. Es gibt genauso viele dumme Intellektuelle wie dumme Baseballspieler. Intelligenz bedeutet lediglich die Fähigkeit, wahrzunehmen, was geschieht.« Aber Brennbar hüllte sich in dichten Zigarrenqualm, so dass nicht einmal seine Tischnachbarin seinen Standpunkt zu erkennen vermochte.

Der Mann, der einen Augenblick lang die Illusion genährt hatte, er wäre auf sichereren Grund zurückgekehrt, sagte: »Ich möchte bestreiten, Mrs. Brennbar, dass es genauso viele dumme Intellektuelle wie dumme Baseballspieler gibt.«

Brennbar stieß einen warnenden Rülpser aus – einen dumpfen, röhrenden Signalton, der sich anhörte wie eine Mülltonne, die einen Aufzugschacht runterfällt, während man selbst weit oben im 31. Stock unter der Dusche steht. (»Wer ist da?«, ruft man in die leere Wohnung.)

»Wünschen die Herrschaften ein Dessert?«, fragte der Kellner und verteilte die Speisekarten. Er muss geglaubt haben, dass Brennbar darum gebeten hatte.

»Ich nehme *Pommes Normande en belle vue*«, sagte der Mann am unteren Tischende, der den

Mittelwesten so grässlich gefunden hatte.

Seine Frau bestellte den *Poudding alsacien*, eine kalte Nachspeise.

»Ich möchte die *Charlotte Malakoff aux fraises*«, sagte die Frau neben Brennbar.

Ich bestellte mir die *Mousse au chocolat*.

»Scheiße«, sagte Brennbar. Wie bildhaft das auch gemeint war – sein narbenzerfurchtes Gesicht war jedenfalls keine Einbildung.

»Ich wollte dir doch nur helfen, Schatz«, sagte ich, mit einem ganz neuen Ton in der Stimme, der mich beunruhigte.

»Du bist mir schon eine raffinierte Zicke«, sagte Brennbar.

Der Mann, für den sich der sichere Grund nun in einen gefährlichen Abgrund verwandelt hatte, saß in dieser unbehaglichen Atmosphäre widerstreitender Empfindlichkeiten und wünschte sich mehr Intelligenz, als er besaß. »Ich nehme die *Clafouti aux pruneaux*«, sagte er mit einem Grinsen.

»Natürlich«, sagte Brennbar. »Genau so hatte ich Sie eingeschätzt.«

»Ich auch, Schatz«, sagte ich.

»Hast du *sie* rausgekriegt?«, fragte Brennbar mich und zeigte auf die Frau neben sich.

»Ach, sie war leicht«, antwortete ich. »Ich hab bei allen richtiggelegen.«

»Ich bei dir nicht«, sagte Brennbar. Er sah besorgt aus. »Ich war mir sicher, dass du dir mit jemandem den Savarin teilen würdest.«

»Brennbar isst kein Dessert«, erklärte ich den anderen. »So etwas ist schlecht für seine Haut.«

Brennbar saß reglos, wie ein untergründig brodelnder Lavafluss. Da wusste ich, dass wir sehr bald aufbrechen würden. Ich sehnte mich schrecklich danach, mit ihm allein zu sein.

Urs Widmer

Gratinierter Fisch

Ich habe Essen erlebt«, sagt unser Großvater, der an unserm Küchentisch sitzt und uns beim Kochen zusieht, »da wurden Pasteten aufgefahren, aus denen eine dreißigköpfige Jazzband kletterte.« Er hustet und schaut aus dem Fenster, auf das Bürohaus gegenüber, in dem jetzt Putzfrauen Papierkörbe herumtragen, und auf die Autos unten auf der Straße. »Das waren Essen«, sagt er und wendet sich uns seufzend wieder zu, »vor denen die Damen des Hauses tagelang aufgeregt waren. Sie schliefen nicht mehr, sie herrschten die Kinder an, und sie hetzten ihre Dienstboten im Haus herum. Berge von Lebensmitteln türmten sich auf den Küchentischen. Wenn man Gärtner war oder für die Stallungen verantwortlich, dann ging das ja noch, aber wenn man Köchin oder Zimmermädchen war, dann, du heiliger Strohsack.«

Der Großvater schüttelt den Kopf. Er hat ein rotes Gesicht, einen abgewetzten grauen Kittel und eine rote Krawatte mit einem sehr kleinen, schrumpeligen Knoten. Seine Hand zittert ein bisschen, als er sich mit ihr über seinen Schnurrbart streicht. Wir nicken. Meine Frau legt ein Wachstuch auf den Küchentisch und streicht die Falten glatt.

»Die Dienstboten«, sagt mein Großvater nach einer Weile, »waren schon am frühen Morgen in der Küche und putzten an den Rüben und Kartoffeln herum. Sie knirschten mit den Zähnen, wenn sie die Schüsseln und Pfannen ansahen, denn sie wussten, dass sie am Abend, wenn die Gäste da waren, zusammen mit den Kindern essen mussten, Grießbrei mit Himbeersirup. Die Kinder waren dann schlecht gelaunt und patschten mit den Händen im Brei herum, so dass alle vollgespritzt wurden.«

»So war das also«, sage ich und öffne die Saucenwürfel. Meine Frau reißt einen Suppenbeutel mit Ochsenschwanzsuppe auf, gießt den Inhalt in die Pfanne, hält sie unter den Wasserhahn und rührt darin herum. Der Großvater nimmt die leere Packung, liest die Gebrauchsanweisung und riecht daran. Er niest.

»Die Gäste kamen am Abend mit Blumensträußen in der Hand«, sagt er dann. »Sie trugen weiße Schlipse und Halsketten. Ein Zimmermädchen stand in der Garderobe, das hübscheste, mit einem schwarzen Röckchen und einem weißen

Schürzchen. Es knickste, wenn es den Gästen die Mäntel abnahm. Aber diese machten immer ein eiskaltes Gesicht. Mit einem strahlenden Lächeln gingen sie dann in den Salon hinüber und begrüßten die Dame und den Herrn des Hauses. Sie plauderten. Ich glaube, sie sprachen zum Beispiel darüber, dass der Champagner ganz vorzüglich sei und dass bei den vielen Menschen auf der Straße kaum ein Durchkommen sei. Der Kutscher habe die Peitsche gebrauchen müssen, und die Menschen hätten die Fäuste geballt und geschrien. Was das zu bedeuten habe?«

»Woher weißt du das alles so genau?«, fragt meine Frau, während sie ein Stück Margarine in die Suppe tut. Der Großvater leckt am Margarinewürfel. Er schaut mich mit großen Augen an.

»Mit dem Herrn des Hauses sprachen die Gästeherren zu diesem Zeitpunkt noch nicht über Staatsanleihen, Zigarren oder Bauland«, sagt mein Großvater. »Das taten sie erst später, im Herrenzimmer, nach dem Essen, wenn die Damen allein im Salon zurückgeblieben waren. Dann sprachen sie auch von den unerklärlichen Unruhen in der Stadt, von den unangenehmen Barrikaden, von den ungeflickten Hosen, in denen diese Arbeiter herumliefen, und sie erzählten sich diese Geschichte: Der Herr des Hauses liegt in der Küche auf der

Köchin. Die Röcke der Köchin sind hochgeschoben, die Köchin verdreht die Augen und keucht und röchelt und verschränkt die nackten Beine hinter dem Rücken des Herrn des Hauses, der wie ein Kreuzfahrer vögelt – da geht die Tür auf, und die Dame des Hauses betritt unvermutet die Küche. Sie starrt auf ihren Mann. *Madame*, sagt dieser, würdevoll auf der Köchin liegend, ich weiß, vermutlich mögen auch Dienstboten junges Lamm lieber. Aber in meinem Haus müssen sie mit einem alten Bock vorliebnehmen.«

Wir lachen. Ich öffne den Wandschrank und hole die Kartoffelpüreeschachtel heraus. Ich gebe sie meiner Frau. »Irgendwo müssen doch die fixfertigen Fischstäbchen in Tomatensoße sein«, sage ich, vor dem Kühlschrank kniend. »Im Eisfach natürlich«, sagt meine Frau. Ich nicke. Ich sehe, dass mich mein Großvater anstarrt.

»Die Herren im Herrenzimmer lachten auch«, sagt er dann mit einer belegten Stimme. »Sie pafften an ihren Zigarren und waren glücklich. Nur manchmal lugten sie durch die Vorhänge, um zu sehen, ob der Polizeikordon, der die demonstrierenden Leute vom Haus zurückhielt, noch dicht war. Das war aber alles erst nach dem Essen.«

Ich nicke. Ich stelle dem Großvater ein Glas Rotwein hin. Ich schaue ihn an. Ich liebe ihn. Manchmal schläft er ein. Dann sieht er wie ein Murmeltier aus.

»Vor dem Essen«, sagt der Großvater und nimmt einen Schluck von unserem Rotwein. Er hustet und spuckt den Wein aus. Hat er sich verschluckt? Meine Frau klopft ihm auf den Rücken. Langsam beruhigt er sich.

»Verzeihung«, murmelt er. »Der Geschmack hat mich überrumpelt.«

Lächelnd sehen wir ihn an. Er hat überall Runzeln. Er ist alt. Vielleicht wird er bald sterben.

»Vor dem Essen«, sagt er dann, »sprachen die Gäste mit jungen Damen, die einen tiefen Ausschnitt und Apfelbrüstchen hatten. Junge Herren, die eben in den diplomatischen Dienst eingetreten waren, sprachen mit ernsten Gesichtern mit älteren Herren. Sie sprachen über die politische Lage und wie man den unerhörten Forderungen der Arbeiterführer am besten begegnen könne. Ihre Frauen standen lächelnd dabei. Es gab sehr schöne junge Frauen damals, obwohl ich mir nicht vorstellen kann, dass diese Damen, wenn sie mit einem Mann allein waren, auch richtig, ihr versteht schon.«

Der Großvater macht mit der Hand eine Bewegung, als würde er einen Pumpenschwengel betätigen. Wir lachen. Meine Frau stellt Teller auf den

Tisch. Ich reiße den Verschluss der Plastikflasche mit dem Quellwasser auf, nehme das in Scheiben geschnittene Brot aus der Folie und lege es auf den Brotteller. Ich setze mich dem Großvater gegenüber an den Küchentisch. Ich gieße mir Wein ein und trinke einen Schluck. Ich atme heftig aus. »Und dann?«, frage ich ihn. »Dann«, sagt der Großvater. »Dann öffnete ein weißlivrierter Neger die Flügeltüren, die zum Esssalon führten. Er sagte: ›Es ist angerichtet, *Madame*.‹ Die Herren boten ihren Damen nun den Arm. Die Flügeltüren wurden hinter ihnen geschlossen, so dass man das Rufen der aufgebrachten Menge nicht mehr mit anhören musste. Alle gingen zu dem Teller, neben dem, auf einem Kärtchen, ihr Name stand. Manchmal hatte die Hausfrau auch Rebusse und Bilderrätsel erfunden. Dann rätselten alle lachend vor den Karten herum, und die jungen Damen nahmen die Hilfe der Herren vom diplomatischen Dienst in Anspruch, um zu wissen, wo sie saßen. Die Herren saßen dann nicht neben ihren eigenen Frauen, sondern neben einer anderen. Sie plauderten mit ihr. Sie sagten etwa: ›Sie sehen heute wirklich bezaubernd aus.‹ Alle hatten strahlende Augen.«

Ich nicke. Mein Großvater glotzt auf meine Frau, die die Pfanne mit der Suppe auf den Tisch stellt. Sie gibt jedem von uns einen Suppenlöffel voll. Ich reiße die zugeschweißte Tüte mit dem geriebenen Käse auf und biete ihn dem Großvater an. Er streut sich ein bisschen davon über die Suppe. Wir beginnen zu essen.

»Dann kamen die Diener mit den Suppenschüsseln«, sagt der Großvater. »Sie servierten immer von links, höflich beugten sie sich über die Damen und sahen in ihre Ausschnitte hinein, während die Damen sich eine spatzenkleine Portion in die Schale vor sich schöpften.« Er isst einen Löffel von unserer Suppe. Er schluckt langsam. Dann legt er den Löffel neben den Teller. »Ich will euch lieber sagen, wie das Essen bei den vornehmen Leuten weiterging: also, es gab eine Suppe, eine Schildkrötensuppe zum Beispiel. Dann gab es gratinierte Fische.«

»Was sind gratinierte Fische?«, fragt meine Frau.

»Ja, willst du denn wissen, wie man sie macht?«, fragt mein Großvater.

»Natürlich«, sagt meine Frau.

»Man kann sie aber nicht vorgekocht und abgepackt kaufen«, sagt der Großvater.

»Sei nicht pestig, Großvater«, sage ich. »Iss deine Suppe. Meine Frau tut, was sie kann. Sie ist halt nicht aus deinem Land, wo ihr euch die Milch direkt aus der Kuh in den Mund spritzt.«

Der Großvater lächelt. Er nimmt das Rotweinglas und schaut hindurch. Ich sehe, dass sich am Boden Kristalle abgelagert haben. »Also gut«, sagt er und nimmt, ohne zu trinken, den Löffel wieder in die Hand. »Ich sage euch, wie es zu den gratinierten Fischen gekommen ist. Die Köchin und das Küchenmädchen, ein vierzehnjähriges Kind, gingen mit großen Henkelkörben auf den Markt, am frühen Morgen. Denn: ohne gute Ware kein gutes Essen. Ein Beispiel: Ein *Coq au Riesling* wird kein *Coq au Riesling*, wenn man ein tiefgefrorenes dänisches Leghuhn kauft und es mit Kochwein begießt.«

»So weit leuchtet mir das ein«, sage ich. Ich sehe, dass mein Großvater sich unter den Tisch bückt, und als ich schnell das Wachstuch hochhebe, sehe ich, dass er in einem Rucksack kramt, den er neben seinen Stuhl gestellt hat. Mit zittrigen Händen schenkt er sich aus einer eigenen Flasche Rotwein in sein Glas. Dann sieht er, unter dem Tisch hindurch, dass ich ihn beobachte. Er schaut mich erschrocken an. Ich lächle ihm zu. Wir setzen uns beide wieder aufrecht. Meine Frau bringt den Fisch mit der Tomatensoße und das Kartoffelpüree und schöpft uns beides in die Suppenteller. Der Großvater hat einen roten Kopf.

»Auf dem Markt«, sagt er dann und trinkt einen Schluck, »kauften die Köchin und das Küchenmädchen: Seezunge, Rotbarsch, Kabeljau, Scholle, immer die Filets, dann Krevetten, Champignons, Zitronen, Muscheln, Petersilie, Schalotten, Kapern, Butter, Mehl, einen Maggifleischwürfel –«

»Ha!«, schreie ich. »Siehst du!«

»– und eine Flasche herben Weißwein, zum Beispiel einen Saint-Saphorin oder einen elsässischen Riesling.« Der Großvater zwinkert mir zu, als er wieder einen gewaltigen Schluck aus seinem Glas trinkt.

»Also«, sagt er dann und wischt sich mit dem Ärmel über den Mund, »man nahm, wenn der gratinierte Fisch eine Vorspeise sein sollte, ein Filet für jeden Gast, Seezunge oder Scholle oder Kabeljau oder Rotbarsch oder alles durcheinander, wenn man genügend Gäste hatte.«

Ich beiße in den Tiefkühlfisch. Ich nicke. Ich notiere mir alles im Kopf. Ich will, wenn der Großvater das nächste Mal zu Besuch kommt, ein Essen auf den Tisch stellen, dass ihm die Tränen der Rührung kommen. »Du musst nicht alles aufessen«, sage ich leise, während ich die vorfabrizierte Tomatensoße mit einem Stück Brot auftunke. Mein Großvater schaut mich an. Er lächelt. »Seid ihr mir wirklich nicht böse?«, fragt er, und schon hat er den Rucksack auf den Tisch gestellt und holt einen Laib Ruchbrot, einen Käse und Radieschen heraus. Er schneidet sich Brot und Käse ab und beißt hinein. Wir lächeln uns an, als wir sehen, dass mein Großvater jetzt glücklich ist.

»Passt jetzt auf«, sagt er mit vollem Mund. »Die Filets wurden mit Salz und Zitronensaft auf eine Gratinplatte gelegt, die mit feingehackten Schalotten, Petersilie und Kapern bestreut worden war. Auch der Fisch wurde damit und mit einigen Butterstückchen bestreut. Die Köchin hatte auch nicht vergessen, den Ofen zehn Minuten lang vorzuheizen. Sie dämpfte einen Esslöffel Mehl in frischer Butter gelblich –«

»Warum nimmst du Mehl?«, fragt meine Frau. »Du sagst immer, nur deutsche Hausfrauen nehmen immer Mehl.«

»Keine Regel ohne Ausnahme«, sagt mein Großvater. »Also. Die Köchin hatte einen Esslöffel Mehl und frische Butter gelblich gedämpft, mit Fleisch- oder Bouillonwürfelbrühe abgelöscht, sie hatte Sahne, einen guten Schuss Weißwein und, falls sie hatte, etwas Bratensaft dazugegeben und das Ganze gut durchgekocht. Dann: Nachdem der Fisch fünf Minuten lang nur mit Butter und Zwiebeln und Petersilie und Kapern im Ofen gewesen war, wurde er mit dieser Sauce zugedeckt. Die Köchin hatte inzwischen Champignons in Butter gedünstet und tat sie nun auch hinein, dazu noch Krevetten und Muscheln. Darüber tat sie ein Gemisch von Gruyère und Parmesan. Dann ließ sie alles zwanzig bis fünfundzwanzig Minuten lang gratinieren. Das war die Vorspeise. Sie schmeckte wie der sanfte Kuss eines Zimmermädchens im Morgengrauen.«

Ich nicke. Ich stelle mir diesen Geschmack vor. Ich sehe, dass sich mein Gesicht in der schwarzen Fensterscheibe, vor der der Großvater sitzt, spiegelt. Ich schwitze, und mein Herz klopft.

»Dann gingen im Esssalon die Flügeltüren wieder auf«, sagt der Großvater, »und eine ganze Kolonne von Dienern brachte das Hauptessen herein: ein glasiertes Wildschwein, oder ein Spanferkel, oder ein Osterlamm. Die Gemüse waren zu Kunstwerken aufgetürmt. Die Gäste brachen in Applaus aus, auch, weil man dann den Lärm, der von draußen hereinkam, nicht mehr so deutlich hörte. Dennoch umklammerte manche Dame ängstlich den Arm ihres Kavaliers. ›Das sind die Aufständischen, machen Sie sich keine Sorgen‹, flüsterten diese lächelnd, aber die Damen sahen, dass ihnen der Schweiß auf der Stirn stand. Dann gingen die Türen wieder zu, und man hörte nur noch das Summen des Tischgesprächs. Vielleicht klingelte nun der Hausherr ans Glas, erhob sich und hielt eine Ansprache, in die er gegen Schluss ein paar ernste Töne einfließen ließ. ›Es geht nicht an‹, rief er, ›dass ein paar verantwortungslose Strolche die Arbeit von Jahrzehnten kaputtmachen dürfen.‹ Alle Gäste klatschten.«

Der Großvater schweigt. Er starrt vor sich hin. Er denkt an frühere Essen. Ich sehe, dass er sich mit seinen Händen über die Augen streicht.

»Woher kannst du so gut kochen?«, frage ich dann. Der Großvater schreckt hoch. Er lächelt. »Weißt du«, sagt er, »ich war früher Gärtner bei Leuten, bei denen meine Frau Köchin war. Sie ist seit achtzehn Jahren tot.«

Wir schweigen. Meine Frau stellt sich und mir eine Tasse für den Nescafé hin. Der Großvater macht eine Handbewegung, er will bei seinem Rotwein bleiben.

»Wir standen oft an den dunklen Fensterscheiben des Herrenhauses, mit platt gedrückten Nasen«, sagt er. »Wir sahen, wie die Damen und Herren mit stummen Fischmündern miteinander redeten, während sie das Dessert aßen. Es gab eine *poire belle Hélène*. Wir sahen dann, wie der Hausherr irritiert eine Meldung des Pförtners zur Kenntnis nahm, dass das Tor dem Druck der aufgebrachten Menge nicht mehr lange standhalten könnte, und wie er in sein Arbeitszimmer hinüberging und heftig ins Telefon hineinschrie. Schnell gingen wir in die Küche hinunter, wo alle Angestellten herumsaßen, stumm, mit heißen Gesichtern. Wir hörten Rufe und Lärmen von der Straße her, das Klirren von Scheiben, dumpfe Schläge. Die alten Dienstmädchen beteten, aber die jungen hatten ganz rote Gesichter. ›Ein bisschen kann ich sie ja schon verstehen‹, murmelte der Pförtner, ›obwohl mein Herr ein guter Herr zu mir ist.‹ Wir nickten. Meine Frau flüsterte mir ins Ohr, wenn es losgeht, verteidigen wir die Küche nicht, wie kämen wir dazu. Dann aber hörten wir Pferdegetrappel, Schreie, Schüsse, rennende Menschen. Der Küchenbursche kletterte auf die Gartenmauer und berichtete, dass berittene Polizei die Demonstranten wegdränge. Dann, als es ganz ruhig war, ging der Pförtner ins Herrenzimmer hinauf, um dem Hausherrn den Erfolg des Telefonats zu melden.«

Wir schweigen. Stumm schiebe ich dem Großvater mein Glas hinüber. Er schenkt mir aus seiner eigenen Flasche ein. Ich trinke. Ich spüre eine schöne Hitze in mir. Der Großvater schaut mich an. »Tja«, sagt er. Er nimmt einen tiefen, großen Zug aus der Flasche. »Aber Feste waren das schon noch, das muss ich sagen«, sagt er dann. »Wenn ich nur daran denke. Die Zimmermädchen banden den Damen des Hauses vor dem Fest die Korsetts zu, indem sie den Fuß gegen ihre Hinterbacken stemmten und an den Schnüren rissen. Wir wussten alles ganz genau, weil sie uns in der Küche, während oben das Fest war, alles genau erzählten, dass die Tochter Pickel am Arsch hatte und alles. Die Herren des Hauses trugen Gürtel, die sich während des Essens automatisch lockerten, und trotzdem ist mehr als einer geplatzt.« Der Großvater seufzt. »Als dann oben alle beim Kaffee saßen, kam auch bei uns in der Küche wieder eine bessere Stimmung auf. Draußen war nun alles ruhig. Wir saßen auf Tischen und Küchenschemeln herum, aßen den übriggebliebenen gratinierten Fisch und tranken mehr als sonst. Der Kellermeister nahm ein gutes Dutzend Flaschen auf seine eigene Kappe, wegen der Aufregung von vorhin. Uns war nun alles egal. Wir kippten ein Glas nach dem andern. Die Zimmermädchen, die auch langsam betrunken wurden, erzählten, wie der Herr des Hauses aussah, wenn er, in seinen langen Flanellunterhosen, das Kragenknöpfchen unter dem Sofa suchte. Die Essdiener beschrieben die Brüste, die sie beim Servieren observieren konnten, und der Kutscher erzählte die Geschichte vom Herrn des Hauses, der auf der Köchin liegt und schwitzt und stöhnt, und die Dame des Hauses kommt herein, und die Köchin sagt unter dem japsenden Herrn des Hauses hervor: ›*Madame*, ich weiß, Sie haben mir empfohlen, junges Lamm zu kaufen.

Aber heute habe ich nur einen alten Bock auftreiben können.‹«

Wir lachen. Der Großvater wischt sich über die Augen. Meine Frau schenkt mir und sich Kaffee nach. »Das Fest ging bis vier Uhr in der Früh«, sagt der Großvater. »Wir tranken und tanzten in der Küche herum, ich küsste das Zimmermädchen hinter der Treppe, und als wir den abfahrenden Gästen die Wagenschläge aufhalten sollten, waren wir stockhagelvoll. Aber die Gäste waren auch stockhagelvoll. Am nächsten Morgen war es unangenehm, weil wir, im Gegensatz zur Dame und zum Herrn des Hauses, um sieben Uhr wieder an der Arbeit sein mussten.«

Der Großvater schaut vor sich hin. Ich sehe, dass er müde ist. Er stützt die Stirn auf der Hand auf. Leise trinke ich einen Schluck vom alten Wein des Großvaters. Ich lasse ihn über die Zunge rollen und schlucke.

T. C. Boyle

Erbärmlicher Fugu

Labbriger Radicchio.«

»Erbärmlicher Fugu.«

»Eine Blasphemie aus Feldsalat, Frisée und Endivie.«

»Kulebiaki direkt aus der Hölle.«

Seit einem halben Jahr kannte er nur ihr Pseudonym – Willa Frank – und die ätzende Schärfe ihrer Adjektive, die höhnische Wucht ihrer Metaphern, die kalte Präzision ihrer Substantive. Egal, um was für ein Gericht es sich handelte, egal, wie zuverlässig und genial der Koch war, wie frisch und erlesen die Zutaten, sie hatte immer etwas auszusetzen. »Die Ente war zu etwas verbrutzelt, was man als Bodensatz in den tiefsten Tiefen einer Graburne zu finden erwarten würde.« – »Bei ihrer eher beißenden Pikantheit hätte die Orangensauce ebenso gut auch aus in Salzlake mariniertem Zitronat bereitet sein können.« – »Sind *Pasta* und *Paste* Synonyme? Wohl kaum. Bei ›Udolpho‹ jedoch war der Unterschied praktisch nicht zu bemerken. Die ›frischen‹

Vermicelli hatten die Konsistenz von Gummiarabikum – und schmeckten auch so.«

Albert erbebte beim Lesen dieser sarkastischen Urteilssprüche, er zitterte und wurde kreidebleich, und das Herz sank ihm in die Hose wie eine Kartoffelkrokette in eine Fritteuse mit heißem Fett. An dem Morgen, an dem ihr Verriss von »Udolpho« erschien, saß er bei einer Tasse aufgewärmtem Espresso und knabberte an einem Eckchen Haselnuss-Baiser, das den Andrang vom Abend zuvor überlebt hatte. Wie immer am Freitag hatte er die Zeitung von der Fußmatte geholt, sich etwas zu essen genommen und dann, voll des tollkühnen Wagemuts, mit dem man zum Sprung in einen eisigen See ansetzt, die Kolumne »Essen und Trinken« aufgeschlagen. Jede zweite Woche trat Willa Frank diese Rubrik an die andere Rezensentin der Zeitung ab; Leonora Merganser, eine großherzige, verständnisvolle Frau, betrachtete jedes Restaurant mit den Augen einer Mutter von acht Kindern, die am Muttertag von ihrer Familie zum Essen eingeladen wird, und verfasste Loblieder in einem atemlosen, speichelfeuchten Redeschwall, der den Leser aus dem Sessel hinaus direkt ans Telefon schwemmte, wo er sich sogleich hektisch einen Tisch reservieren ließ. Doch diese Woche war Willa Frank an der Reihe. Und Willa Frank gefiel es nirgends.

Mit zitternden Fingern – es war nur eine Frage der Zeit, bis sie sich wie eine Spionin, wie eine Mörderin, bei »D'Angelo« einschleichen und ihn wie all die anderen zerfleischen würde – strich er die Seite glatt und starrte auf die großen schwarzen Lettern der Überschrift:

UDOLPHO:
HÖHLENMENSCHEN-CUISINE
IN GRUFT-ATMOSPHÄRE

Er las weiter, mit einem Kloß im Hals. Sie hatte dem Restaurant drei Besuche abgestattet, einmal in Gesellschaft eines abstrakten Malers aus Detroit und zweimal mit ihrem ständigen Begleiter, einem jungen Mann mit so feinen Geschmacksnerven, dass sie ihn stets nur als »Der Gaumen« bezeichnete. Bei allen drei Gelegenheiten war sie – schnüff – enttäuscht worden. Die Jahrhundertwende – Gaslampen, einst von Udolphos Großvater aus Neapel mit herübergebracht, hatten ihr missfallen (»so düster, dass wir witzelten, es wäre wie ein Abendessen bei den Neandertalern im zweiten Kellergeschoss der Höhle«), ebenso das flackernde Feuer in der aus Stein gemauerten, mächtigen Feuerstelle, die den Raum beherrschte (»überall Qualm, außerdem stank es nach verkohlten Kastanien«). Und dann das Essen. Als Albert zu dem Satz über die Pasta kam, konnte er nicht weiterlesen. Er faltete die Zeitung so behutsam, wie er das Leichentuch über Udolphos zermalmten Körper gebreitet hatte, und legte sie beiseite.

In diesem Moment trat Marie durch die Schwingtür in die Küche, in der Hand die nasse Stoffserviette, die sie zum Geschirrspülen benutzt hatte. »Albert?«, fragte sie aufgeregt und blickte beunruhigt erst auf sein gramerfülltes Gesicht, dann auf die Zeitung. »Stimmt etwas nicht? Hat sie …? Heute?«

Sie vermutete das Schlimmste, daher korrigierte er sie, aber es klang so kummervoll, als wäre es sein letzter Atemzug: »Udolpho.«

»Udolpho?« Erleichterung schwang in ihrer Stimme mit, machte aber umgehend ungläubiger Empörung Platz. »Udolpho?«, wiederholte sie.

Traurig wiegte er den Kopf. Dreißig Jahre lang hatte »Udolpho« unter den Restaurants auf der West Side unangefochten regiert; ein Lokal, das sich von keinen Moden und Trends vereinnahmen ließ, niemals schick, aber beständig – von einer Klasse, die keine *nouvelle mangerie* in Pastelltönen und mit Breuer-Stühlen je erreichen konnte. Cagney hatte dort gegessen, Jimmy Durante, Roy Rodgers, Anna Maria Alberghetti. Es war ein Schrein, eine Institution.

Albert selbst hatte als feister, unglücklicher Zwölfjähriger, den alle wegen seines Bäuchleins und seines gigantischen, unstillbaren Appetits verspotteten, die größte Offenbarung seines Lebens bei einem von Udolphos dunklen, verrauchten und – für ihn jedenfalls – unvergesslich exotischen Festmahlen erlebt. Beim Kosten der Vermicelli mit Öl, Knoblauch, Oliven und Waldpilzen, des Ossobuco mit den kleinen gedrehten Farfalloni zum Aufsaugen der butterschweren Sauce hatte er gewusst – ebenso sicher wie Alexander der Große gewusst hatte, dass er zum Erobern geboren war: Er, Albert D'Angelo, war zum Essen geboren. Und das war auch nichts, dessen er sich hätte schämen müssen: Es war großartig, Berufung und Zeitvertreib zugleich, es war der höchste Gipfel seines Strebens. Andere Jungen hatten Sportleridole wie Snider und Mays, Reese und Mantle, doch für Albert lauteten die magischen Namen Pellaprat, Escoffier, Udolpho Melanzane.

Ja. Und nun war Udolpho nichts mehr. Dafür hatte Willa Frank gesorgt.

Marie beugte sich vor und las den Artikel, ihre piepsige Mädchenstimme bebte vor Entrüstung. »Die ist auch mit nichts zufrieden.«

Albert zuckte die Achseln. Seit der Eröffnung von »D'Angelo« vor anderthalb Jahren hatte ihn die Presse praktisch ignoriert. Na ja, bis auf einen Absatz in ›Barbed Wire‹, dem alternativen Wochenblatt, das von Typen mit fettigen Haaren und mit Metallstiften im Nasenflügel an den Straßenecken verteilt wurde, aber das konnte man wohl kaum zählen. Es gab nur eine Zeitung – Willa Franks Zeitung –, die wirklich wichtig war; Mundpropaganda mochte noch so gut sein, ohne einen Artikel in der Zeitung war man ein toter Mann. Das Problem war nur: Wenn Willa Frank über einen schrieb, war man es ebenfalls.

»Vielleicht kriegst du die andere«, sagte Marie unvermittelt. »Wie heißt sie noch – die nette.«

Alberts Lippen bewegten sich kaum. »Leonora Merganser.«

»Wäre doch möglich.«

»Ich will Willa Frank«, fauchte er.

Marie runzelte die Stirn. Sie faltete die Zeitung zusammen und ging zu ihm hin, stieß sich leicht von seinem Bäuchlein ab und hauchte ihm einen Kuss auf den Bart. »Das kann doch nicht dein Ernst sein?«

Albert sah sich verbittert im Restaurant um: schlichte Holztische, weißgetünchte Wände, Topfpalmen, weich im Licht der Morgensonne. »Leonora Merganser würde in der Hamburgerbude an der Ecke in Ekstase fallen, in ›Long John Silvers

Fischkneipe‹, überall. Das ist doch keine Herausforderung.«

»Herausforderung? Aber wir brauchen doch keine Herausforderung, Liebling – wir brauchen Kundschaft, stimmt's? Ich meine, wo wir doch heiraten wollen und so –«

Albert setzte sich schwerfällig und nahm kläglich einen Schluck von seinem kalten Espresso. »Ich bin ein guter Koch, oder?« Irgendetwas in seinem Tonfall verriet ihr, dass es nicht nur eine rhetorische Frage war.

»Ach, Liebling«, sie saß jetzt auf seinem Schoß, zupfte an seinem Haar, das Gesicht dicht an seinem Ohr, »natürlich bist du das. Der Beste. Der Allerbeste. Aber –«

»Willa Frank«, knurrte er. »Willa Frank. Ich will sie.«

Es gibt Abende, da fügt sich eins ins andere: da ist der Seeteufel so frisch, dass er sich auf dem Grill fast von selbst zerlegt, das Pesto ist wie ein Windhauch im Pinienwald, und die Acht-Personen-Gesellschaft bekommt ihre sieben Vorspeisen und sechs Hauptgerichte in einer Palette aus zarten Farben und dampfenden Schwaden so perfekt serviert, als hätte ein einziger Gast zu einem einzigen Gang Platz genommen. Heute jedoch war nicht so ein Abend. Es war ein Abend, an dem alles schiefging.

Es fing damit an, dass ärgerlicherweise Eduardo – der chilenische Kellner, der nach der Manier von Chico Marx hie und da ein unnötiges A an seine Worte anhängte, um so als Italiener durchzugehen – zu spät erschien. Deshalb geriet Marie mit den Desserts, für die sie allein zuständig war, aus dem Zeitplan, denn sie musste das erste halbe Dutzend Gäste an die Tische geleiten und bedienen. Als Nächstes stellte Albert kurz nacheinander fest, dass ihm das Mesquiteholz zum Grillen ausgegangen war, außerdem die sonnengetrockneten Tomaten für die Fusilli mit Pilzen, Kapern, schwarzen Oliven und, nun ja, sonnengetrockneten Tomaten eben, und dass die frische Sahne für die Frittata piemontese rätselhafterweise sauer geworden war. Schließlich, gerade als er sein inneres Gleichgewicht und jenen erhabenen Geisteszustand wiedergefunden hatte, in dem Körper und Verstand eins sind, flippte Roque aus.

Von den fünf Angestellten des Restaurants – Marie, Eduardo, Torrey, die tagsüber saubermachte, Albert selbst und Roque – hatte Roque die wohl elementarste Funktion inne. Er war der Tellerwäscher. Tellerwäscher aus Yucatán. Der dafür verantwortlich war, dass das rosagraue Geschirr bei »D'Angelo«, schweres Porzellan aus Syracus, sich während des abendlichen Trubels in ständigem Kreislauf befand. An diesem speziellen Abend jedoch nahm Roque die Herausforderung, die diese Aufgabe mit sich brachte, nur höchst widerwillig an: Wie im Traum kratzte er an den Tellern herum und handhabte er die Düse seines Druckstrahlers. Und nicht nur bewegte er sich so langsam, dass das Geschirr, voller Fettränder und Resten von roter und weißer Sauce, sich neben ihm auftürmte wie die Watts Towers, obendrein murmelte er ständig vor sich hin. Finster. In einem so fremden Dialekt, dass selbst Eduardo kein Wort verstand.

Als Albert ihn zur Rede stellte – ein wenig zu schroff vielleicht, er war ja selbst überlastet –, explodierte Roque. Albert hatte nichts weiter gesagt als: »Roque – ist irgendwas?« Aber ebenso gut hätte er Roques Mutter, seine vierzehn Schwestern und sein Heimatdorf beleidigen können. Fluchend stieß sich Roque von dem Becken aus rostfreiem Stahl ab, riss sich die Schürze vom Leib und ging daran, Teller gegen die Wand zu schmettern. Erst mit den vereinten Kräften von Alberts zwei Zentnern und Eduardos zweiundachtzig Kilo gelang es, Roque, der samt Schaftstiefeln nicht mehr als vierundfünfzig Kilo wiegen konnte, hinaus in die Gasse hinter dem Lokal zu befördern. Gemeinsam knallten sie ihm die Tür, auf die er dann noch eine halbe Stunde lang mit seinem Stiefel einprügelte, vor der Nase zu, während Marie mit einem Seufzer nach dem Geschirrtuch griff. Eine Katastrophe. Rein, unverfälscht, ohne Einschränkung. Der Abend war eine Katastrophe.

Albert hatte gerade wieder etwas Zeit wettgemacht, da kam Torrey durch die hintere Tür in die Küche getappt, die knochige Hand zum Gruß erhoben. Torrey, eine blasse, eingefallene Neunzehnjährige mit einer knallrot gefärbten Igelfrisur, sprach mit dem quäkenden Tonfall und den flachen Vokalen der geborenen Angelinos. Sie wollte einen Vorschuss.

»*Momento, momento*«, sagte Albert und huschte an ihr vorbei, in der einen Hand einen Topf voller Béarnaise, in der anderen ein Mayonnaiseglas mit grellorangefarbenem Seeigelrogen. Beim Kochen gebrauchte er gern sein rudimentäres Italienisch. Es gab ihm das Gefühl, als könnte ihm nichts etwas anhaben.

Unterdessen schlurfte Torrey etwas ratlos durch die Küche und stellte sich hinter das runde Fenster des rechten Schwingtürflügels, von wo sie, solange sie nichts Besseres zu tun hatte, die Gäste beim Essen, Trinken, Rauchen und Befingern der Torten beobachtete. Die *Sauce béarnaise* bildete eine wunderschöne Lache auf dem Teller mit der Portion gedünstetem Sommerkürbis, der Seeigelrogen war ein spitz zulaufender Klecks auf dem Seeteufelfilet, das dampfend in der Vertiefung der Anrichteplatte lag, und Albert überlegte gerade, ob er Torrey einen Sondertarif anbieten sollte, falls sie zum Geschirrspülen dabliebe, als sie einen leisen Pfiff ausstieß. So pfiff man nicht nach einem Taxi und auch nicht bei einem Popkonzert, sondern es war die Sorte Pfiff, die Überraschung oder Erschrecken ausdrückt – ein Pfiff vom Typ »Nicht zu fassen, Mensch!«. Albert erstarrte. Etwas Grässliches lag in der Luft, das wusste er, genauso wie er wusste, dass sich die Härchen rings um die kahle Stelle auf seinem Kopf mit einem Mal sträubten.

»Was denn?«, wollte er wissen. »Was ist los?«

Torrey drehte sich zu ihm um, langsam wie ein Scharfrichter. »Ihr habt ja heute Willa Frank zu Gast – läuft alles gut?«

Der Seeteufel fing Feuer, die Béarnaise wurde flüssig wie Wasser, Marie ließ zwei Tassen Kaffee und einen Teller mit hausgemachtem Blätterteiggebäck fallen.

Egal. Im nächsten Augenblick drängten sich alle drei vor dem kleinen runden Fenster und spähten so angestrengt hindurch wie Torpedoschützen durch ihr Periskop. »Welche ist es?«, zischte Albert, dessen Herz raste.

»Da drüben?«, sagte Torrey in fragendem Ton. »Mit Jock – Jock McNamee? Der da mit der blonden Perücke?«

Albert spähte, konnte aber nichts sehen. »Wo? Wo?«, rief er.

»Da? In der Ecke?«

In der Ecke, in der Ecke. Albert sah eine junge Frau, ein Mädchen, eine Blondine in einem schwarzen Cocktailkleid ohne BH, die gegenüber einem massigen Riesen mit einer von wasserstoffblonden Strähnen durchzogenen Bürstenfrisur saß. »Wo?«, fragte er noch einmal.

Torrey zeigte hin.

»Die Blondine?« Er sah, wie neben ihm Marie erbleichte. »Aber das kann doch nicht …« Ihm fehlten die Worte. *Das* war Willa Frank, die Doyenne der Feinschmecker, die Grande Dame der Haute Cuisine, die gnadenlose Verfolgerin alles Fehlerhaften, Unausgereiften und Misslungenen? Und dieser Lümmel neben ihr, der mit den großen, mahlenden Kiefern und den keulenartigen Unterarmen – das sollte der Besitzer des feinsten, wählerischsten, verwöhntesten und heikelsten Gaumens in der ganzen Stadt sein? Nein, einfach unmöglich.

»Weil, ich kenn' den nämlich, ja?«, sagte Torrey. »Jock, ja? Einer aus dem Anti-Club, aus dieser Ecke, alles klar?«

Aber Albert hörte nicht zu. Er beobachtete sie – Willa Frank – so gebannt wie der Rohrsänger, der es wagt, der Kobra in die Augen zu blicken. Sie war schmal, hübsch, mit Augen, so dunkel wie die einer Huri, jede Menge Schmuck – ganz und gar nicht, was er erwartet hatte. Er hatte sich eine blasse, elegante Mittfünfzigerin vorgestellt, etwas steif, patrizisch, aus Boston oder Newport, so in der Gegend. Aber Moment, Moment: Eduardo servierte gerade das Essen – für sie natürlich die Spinatkutteln –, ein gutes Gericht, ein Gericht, zu dem er jederzeit stehen konnte, selbst an schlechten Tagen wie… aber der »Gaumen«, was hatte der bestellt? Albert beugte sich angestrengt vor, spürte dabei Maries haltlose, kraftlose Hand, die matt die seine drückte. Aha: die Kalbspiccata, ja, eine sehr gute Wahl, eine hervorragende Wahl. Ja. Ja.

Eduardo entfernte sich mit einer Verbeugung. Der große Kerl mit der Punkfrisur beugte sich über seinen Teller und schnupperte daran. Willa Frank – blond, entzückend, tödlich – zerschnitt eine Kuttel und hob die Gabel an die Lippen.

»Sie fand es grässlich. Das weiß ich. Das weiß ich.« Albert wiegte sich auf dem Stuhl vor und zurück, das Gesicht in den Händen verborgen, die Haartolle ringelte sich auf seiner Stirn wie die Klaue eines

Aasgeiers. Es war nach Mitternacht, das Restaurant geschlossen. Er saß in der Küche inmitten des Chaos, zwischen Abfällen und Spülicht, es roch nach erkaltetem Fett und alten Gewürzen, und er schnappte schluchzend und keuchend nach Luft.

Marie stand auf und massierte ihm den Nacken. Die süße, honigsamtene Marie mit ihren kräftigen, festen Armen und anmutigen Handgelenken, mit ihrem üppigen, wohlproportionierten Körper – sein Trost in einer Welt von Willa Franks. »Ganz ruhig«, sagte sie immer wieder, murmelte beschwichtigend auf ihn ein, »ganz ruhig, es war gut, wirklich.«

Er hatte versagt, und er wusste es. Warum ausgerechnet an diesem Abend? Warum konnte sie nicht kommen, wenn alles wie am Schnürchen klappte, wenn er einen klaren Kopf hatte, wenn der Tellerwäscher nüchtern und die Sahne frisch war und das Mesquiteholz sich hoch neben der Wand stapelte – wenn er sich konzentrieren konnte, zum Teufel? »Sie hat die Kutteln nicht aufgegessen«, sagte er verzweifelt. »Und das gegrillte Gemüse auch nicht. Ich hab' mir den Teller angesehen.«

»Sie kommt ja wieder«, sagte Marie. »Mindestens drei Besuche, das weißt du doch.«

Albert fischte nach einem Taschentuch und putzte sich traurig die Nase. »Ja«, sagte er, »drei Schläge, und du bist am Ende.« Er verdrehte den Hals, um zu ihr aufzusehen. »Der ›Gaumen‹, dieser Jock oder wie der Arsch heißt, der hat die Piccata gar nicht probiert. Einen Bissen höchstens. Die Pasta genauso wenig. Eduardo meinte, außer dem Brot hat er nichts angerührt. Und getrunken hat er eine Flasche Bier.«

»Der versteht doch gar nichts«, sagte Marie. »Und sie auch nicht.«

Albert zuckte die Achseln. Er erhob sich mit Mühe, als wäre er auf den Scheiterhaufen seiner Niederlage gebunden, goss sich ein Glas Orvieto ein und nahm von einem Teller mit übriggebliebenem Kalbsbries. »Sie versteht alles«, erwiderte er niedergeschlagen, das Fleisch wie Butter in seinem Mund, duftig, nussig, unaussprechlich gut und genau richtig. Wieder zuckte er die Achseln. »Oder nichts. Was macht das schon? Wir werden so oder so verheizt.«

»Überhaupt ›Frank‹? Was ist denn das für ein Name? Ist das nicht deutsch? Was meinst du?« Marie hatte auf Angriff geschaltet, sie schritt auf dem Linoleum auf und ab wie ein Feldmarschall auf der Suche nach einer Schwachstelle in den feindlichen Linien, nach der Gelegenheit zum Durchbruch. »Die Franken – das waren doch in der Oberschule diese Barbaren, die Rom geplündert haben? Oder Paris?«

Willa Frank. Der Name lag ihm bitter auf der Zunge. Willa, Willa, Willa. Es war ein knochiger Name, karg und hager, bar jeder Sinnlichkeit, die Antithese der runden, vollmundigen Leonora. Es sprach daraus eine knotige, puritanische Zähigkeit, eine Verleugnung des Fleisches, kein Kompromiss im Angesicht der Versuchung. Willa. Wie konnte er sich je erhoffen, eine Willa zu betören? Und dann Frank. Das war sogar noch schlimmer. Ein Männername. Kalt, abweisend, deutsch, französisch. Es war der Name einer Frau, die ihre Aufgabe nicht durch Nächstenliebe oder Mitgefühl komplizieren würde. Nein, es war der Name einer Frau, die ihre Adjektive wie Keulen einsetzte.

Während Albert in solcherlei säuerlichen Erwägungen schmorte, dabei aß, aber nichts mehr schmeckte, wurde er durch ein Geräusch von der Hintertür aufgeschreckt. Er packte eine Kasserolle, durchmaß rasch die Küche – Was denn noch? Wollten sie ihn nun auch noch ausrauben, war es das? – und riss die Tür auf.

Im fahlen Licht der engen Gasse standen zwei kleine dunkelhäutige Männer, von denen der kleinere Roque so ähnlich sah, dass er ein Klon hätte sein können. »Hallo«, sagte der etwas größere und zog sich eine schmierige Baseballmütze vom Kopf, »ich heiße Raul, und das hier« – er zeigte auf seinen

Begleiter – »ist Fulgencio, ein Cousin von Roque.« Bei Erwähnung seines Namens grinste Fulgencio. »Roque ist nach Albuquerque gefahren«, fuhr Raul fort, »er lässt sich entschuldigen. Aber er schickt Ihnen seinen Cousin Fulgencio, der wird für ihn das Geschirr spülen.«

Albert trat von der Tür zurück, und Fulgencio, der unter Grinsen und Kopfnicken die Bewegungen des Tellerwaschens nachahmte, kam herein. Immer noch grinsend und nickend machte er ein paar Sambaschritte durch die Küche, holte den Schlauch des Druckstrahlers aus der Verankerung, als zöge er ein Schwert aus der Scheide, und fiel mit einer Energie über das Geschirr her, die seinen auch recht quirligen Cousin hätte erblassen lassen.

Einen langen Moment betrachtete Albert ihn schweigend, vergaß die hinter ihm stehende Marie und sah nicht, wie Raul zum Abschied winkte und leise die Tür schloss. Auf einmal fühlte er sich erlöst, neugeboren, zu allem fähig. Hier war Fulgencio, vor kaum zwei Minuten noch ein vollkommen Fremder, und jetzt wusch er ab, als wäre er dazu geschaffen. Und da war Marie, die ihm auch beistehen würde, wenn er Kakteen und Eidechsen für die Heiligen der Wüste kochen müsste. Und da war er selbst, mit all seiner männlichen Kraft, geschickt, erfahren, einfallsreich, möglicherweise einer der großen kulinarischen Künstler seiner Zeit. Was war eigentlich los mit ihm? Weshalb jammerte er herum?

Er hatte Willa Frank gewollt. Na gut, er hatte sie bekommen. Aber an einem verpatzten Abend, an der Sorte Abend, wie sie jedem passieren konnte. Kein Mesquiteholz. Die Sahne sauer, der Tellerwäscher verrückt. Selbst Puck, selbst Soltner hätte da nicht viel ausgerichtet.

Sie würde wiederkommen. Noch zweimal. Und er würde für sie bereit sein.

Die ganze Woche über hing eine Wolke der Erwartung über dem Restaurant. Albert übertraf sich selbst und steckte die Grenzen seiner norditalienischen Nouvelle Cuisine mit einem Dutzend zusätzlicher Kreationen neu ab, darunter eine sehr aufregende *Pasta al nero* mit gegrillten Crevetten, ein würziger Hasentopf und ein absolut überwältigendes Rebhuhn in einer Marinade aus Schalotten, Weißwein und Minze. Er arbeitete wie ein Besessener, zu Höchstem inspiriert. Jeden Abend bot er sieben verschiedene Vorspeisen und sechs Hauptgerichte an, und zwar jedes Mal andere. Er übertraf sich selbst wieder und wieder.

Der Freitag kam und ging. In der Morgenzeitung bejubelte Leonora Merganser irgendeinen Griechen in North Hollywood, wobei sie die *Spanakópitta* derart feierte, als wäre sie erst gestern erfunden worden, und in den Falten eines marinierten Weinblatts Zeichen göttlichen Wirkens entdeckte. Fulgencio schrubbte mit Leidenschaft die Töpfe, Eduardo kultivierte seinen Akzent und schob die Brust vor, Maries Desserts schwebten geradezu über den Tellern. Und Tag für Tag schwang sich Albert zu neuen Höhen auf.

Am Dienstag der folgenden Woche – es war ein ruhiger Dienstag, einer der ruhigsten, an den Albert sich erinnern konnte – tauchte Willa Frank wieder auf. Nur zwei weitere Tische waren besetzt: mit einem skeletthaften Siebzigjährigen von professoralem Aussehen und seiner Enkelin – zumindest hoffte Albert, dass es seine Enkelin war – und einem Pärchen aus Beverly Hills, das schon seit Eröffnung des Lokals einmal pro Woche kam.

Ihre Anwesenheit wurde von Eduardo verkündet, der mit verzerrter Miene und einer zittrig hingekrakelten Cocktailbestellung in die Küche stürzte. »Sie ist hier«, flüsterte er, und in der Küche verstummte alles. Fulgencio erstarrte mit der Spritzdüse in der Hand. Marie sah von einem Teller mit Törtchen auf. Albert, der gerade letzte Hand an eine Portion sautierter Jakobsmuscheln *al pesto* für den Professor und eine Entenbrust mit Waldpilzen für die Enkelin anlegte, taumelte vom Tisch zurück, als wäre er angeschossen worden. Er ließ alles fallen und stürmte zu dem runden Fenster, um einen Blick auf sie zu werfen.

Es war sein Augenblick der Wahrheit, der Augenblick, in dem der Mut ihn beinahe verließ. Sie war umwerfend. Eine strahlende Erscheinung. So perfekt und unnahbar wie die gezupften, herablassenden Frauen, die ihn von den Titelbildern der Zeitschriften im Supermarkt ansahen, eisig elegant in einer hautengen béchamelfarbenen Seidenbluse. Wie konnte er, Albert D'Angelo, bei allem Talent und aller Herzensgröße jemals hoffen, sie zu rühren, derartige Vollendung zu beeindrucken, diese übersättigten Geschmacksnerven noch zu reizen?

Mit waidwundem Blick musterte er ihre Begleiter. Neben ihr saß, mit breitem Grinsen, so leutselig, gutaussehend und nichtssagend wie eh und je, der »Gaumen« – aus dieser Ecke war kein Beistand zu erwarten. Und dann sah er auf das Paar, das die beiden mitgebracht hatten, suchte nach Anzeichen von Sympathie. Er suchte vergeblich. Sie waren etwas älter, mit silbrigen Haaren, perfekt gekleidet, dünn und drahtig wie Menschen, die ihre Essensgelüste eiserner Kontrolle unterwarfen, insgesamt so mitfühlend wie Lynchmörder. Albert begriff, dass es ein harter Kampf werden würde. Er wandte sich wieder dem Grill zu, band sich eine saubere Schürze um und war auf das Schlimmste gefasst.

Marie machte die Getränke – zwei Martinis, einen Glenlivet pur für Willa Frank und ein Bier für den »Gaumen«. Zum Auftakt bestellten sie Büffelmozzarella, die *caponata d'Angelo*, den Salat von Seepolyp und Kalbsmedaillons mit Zwiebelkonfitüre. Albert legte seine Seele in jedes Gericht, arrangierte und garnierte die Teller mit all der geduldigen Sorgfalt und der funkelnden Inspiration eines über die Leinwand gebeugten Toulouse-Lautrec und musste niedergeschmettert mit ansehen, wie sie halbvoll in die Küche zurückkamen. Dann folgten die Hauptspeisen. Sie ließen sich eine Auswahl kommen – fünf verschiedene Gerichte –, die Albert mit versteinertem Gesicht an Eduardo übergab, dann starrte er gierig wie ein Voyeur durch das Küchentürfenster.

Gebannt sah er zu, wie sich die vier zurücklehnten, damit Eduardo die Speisen auflegen konnte. Er wartete, doch nichts geschah. Sie schenkten dem Essen kaum einen Blick. Und dann, wie auf ein Zeichen, fingen sie an, die Teller auf dem Tisch herumzuschieben. Er fasste es nicht: Was glaubten sie denn, wo sie hier waren – beim Stäbchenmenü im »Chow Foo Luck«? Doch dann begriff er: Jedes Gericht musste zunächst dem prüfenden Auge des massigen Kerls mit dem brutalen Kinn vorgelegt werden, ehe sie es auch nur anzurühren geruhten. Niemand aß, niemand sprach, niemand hob ein Glas des 1966er Château Bellegrave an die Lippen, bevor Jock jede einzelne von Alberts Kreationen beschnüffelt, winzige erste Proben von den Fingern geleckt und dann höchst behutsam gekostet hatte. Willa saß stocksteif da, die schwarzen Augen weit aufgerissen, während der breitknochige, bürstenhaarige Riese sich konzentriert über den Teller beugte und einen Bissen Muschelfleisch oder Ente im Mund zergehen ließ. Endlich, als alle Gerichte die Runde gemacht hatten, kamen die Flusskrebse *all'Alberto* vor dem »Gaumen« zum Stillstand, wie eine Roulettekugel. Doch er hatte schon daran gerochen, hatte schon mit der Gabel darin herumgerührt. Und jetzt schob er mit einer grandiosen Geste den Teller weg und verlangte mit heiserer Stimme nach einem Bier.

Der nächste Tag war der schwärzeste in Alberts Leben. Zwei Anschläge, und der dritte würde nicht lange auf sich warten lassen. Er wusste nicht, was er tun sollte. Sein Schlaf war der eines Fieberkranken gewesen; in seinen Albträumen hatte er Trüffeln und zum Leben erwachte Schweinsfüße zu Haschee verarbeitet, und beim Aufwachen waren ihm die wildesten Kombinationen durch den Kopf gegangen – Gurkenscheiben mit Seehasenrogen, eine Mousse aus Zwiebeln mit Zimt, eine Vinaigrette aus Feuerbohnen. Er hatte sogar, halb im Spaß, ein Phantasiemenü zusammengestellt, eine Liste von Gerichten, wie sie noch nie jemand gekostet hatte, nicht einmal Scheichs oder Präsidenten. Die Cuisine der gefährdeten Arten würde er sie nennen. Bruststück vom kalifornischen Kondor mit Pfifferlingen, Grönlandwal nach Müllerin Art, Pandabärmedaillons *alla campagnola*. Marie lachte lauthals, als er ihr diese Speisenfolge am Nachmittag aufzählte – »Ich habe eine neue Cuisine kreiert!«, rief er –, und einen Augenblick lang hob sich das Bahrtuch.

Doch ebenso rasch senkte es sich wieder herab. Er wusste, was er zu tun hatte. Er musste sie ansprechen, seine härteste Kritikerin, und zwar über das Medium seiner Küche. Er musste für sie übersetzen, musste sie mit einem Kuss erwecken. Aber wie? Wie konnte er sie auch nur ansatzweise aus ihrem Schlummer reißen, wenn dieser Bauerntölpel zwischen ihnen stand wie ein Wachhund?

Wie sich herausstellen sollte, lag die Antwort viel näher, als er hätte ahnen können.

Es war spät am folgenden Nachmittag – am Donnerstag, dem Tag, bevor Willa Franks nächster

Verriss in der Zeitung fällig war –, und Albert saß an einem Tisch im hinteren Teil des abgedunkelten Restaurants und grübelte über der Speisekarte. Er war sich nahezu sicher, dass sie ihm an diesem Abend ihren letzten Besuch abstatten würde, und immer noch hatte er keine Idee, wie er sich reinwaschen könnte. Lange Zeit gab er sich seinem Unglück hin und sah geistesabwesend Torrey zu, die gerade mit dem Rohr des Staubsaugers unter den vorderen Tischen herumfuhrwerkte. Hinter ihm, in der Küche, köchelten Saucen, schmorte eine Kalbslende; Marie war beim Brotbacken, und Fulgencio schichtete Holz auf. Er musste Torrey ganze fünf Minuten beobachtet haben, als er sie plötzlich ansprach. »Torrey!«, schrie er gegen das Dröhnen des Staubsaugers an. »Torrey, schalt das Ding doch mal eine Sekunde ab, bitte!«

Das Dröhnen erstarb zum Wimmern, dann war es still. Torrey blickte auf.

»Dieser Kerl – wie heißt er noch? Jock? –, was weißt du eigentlich von dem?« Er sah kurz auf die vollgekritzelte Speisekarte, dann wieder zu Torrey. »Ich meine, weißt du vielleicht, was er gern isst, hast du zufällig eine Ahnung?«

Torrey schlurfte über den Boden und kratzte sich das kurze Stoppelhaar. Sie trug ein zerrissenes Flanellhemd, das ihr drei Nummern zu groß war.

Unter ihrem linken Auge war ein Fettfleck. Sie brauchte eine Weile, die Zunge in den Mundwinkel geklemmt, die Stirn nachdenklich gerunzelt. »Ganz simples Zeug, glaub ich«, sagte sie schließlich mit einem Achselzucken. »Holzkohlensteaks, Kartoffeln in der Schale, gekochte Erbsen und so was – eben so Sachen, wie seine Mutter immer gekocht hat. Na ja, also eben so irisches Arme-Leute-Essen, nich?«

Albert hatte an diesem Abend viel zu tun – extrem viel, das Lokal war gesteckt voll –, doch als Willa Frank und ihr »Gaumen« um Viertel zehn hereingeschlendert kamen, war er vorbereitet. Sie hatten reserviert (unter einem falschen Namen natürlich – M. Cavil, Tisch für zwei), und Eduardo konnte sie sofort an ihre Plätze geleiten. Dann stürmte er herein, atemlos, die vertraute Meldung wie eine Sturmglocke auf den Lippen – »Sie ist hier!« –, und schon huschte er wieder hinaus, mit den Getränken: ein Glenlivet pur, ein Bier. Albert sah nicht einmal auf.

Auf dem Herd jedoch stand ein kleiner Topf. Und in dem Topf kochten drei knollige, runzlige Kartoffeln, voller Augen und mit intakter, schmutzbefleckter Schale, ungestüm vor sich hin; dazwischen tanzte der Inhalt einer großen Dose Billig-Erbsen aus dem Discountladen in dem sprudelnden Wasser. Albert summte bei der Arbeit vor sich hin, während er einen Zackenbarsch ausnahm und zusammen mit Garnelen, Krabben und Jakobsmuscheln in einer großen Pfanne anbriet, Knoblauch und Porree kleinschnitt und ein dickes Stück Gänseleber auf eine Scheibe Rinderfilet platzierte. Als etwa zwanzig Minuten später der immer noch atemlose Eduardo mit ihrer Bestellung zur Küche hereingefegt kam, nahm Albert ihm den gelben Zettel ab und riss ihn mittendurch, nachdem er einen flüchtigen Blick darauf geworfen hatte. Die Stunde Null war da.

»Marie!«, rief er, »Marie, schnell!« Er setzte seine gehetzteste Miene für sie auf, die Miene eines Mannes, der sich am Rande des Abgrundes an einem Grasbüschel festhält.

Marie erstarrte. Sie stellte ihren Cocktailshaker hin und wischte sich die Hände an der Schürze trocken. Eine Katastrophe lag in der Luft. »Was ist los?«, keuchte sie. Ihm sei der Seeigelrogen ausgegangen. Und das Fischfumet. Und Willa Frank habe soeben das Barschfilet in Oursinade bestellt. Keine Zeit sei zu verlieren – sie müsse sofort ins »Edo Sushi House« hinüberfahren und von Greg Takesue genügend ausleihen, dass sie den Abend über auskämen. Albert habe schon angerufen. Es stehe alles bereit. »Fahr schon, fahr los«, sagte er und rang die großen weißen Hände.

Den Bruchteil einer Sekunde zögerte sie. »Aber das ist auf der anderen Seite der Stadt – wenn ich dafür nur eine Stunde brauche, dann hab ich noch Glück.«

Nun kam der Eine-Frage-von-Leben-und-Tod-Blick zum Einsatz. »Fahr los«, sagte er. »Ich halte sie hin.«

Kaum war die Tür hinter Marie zugefallen, ergriff Albert Fulgencio am Arm. »Ich möchte, dass du dir kurz freinimmst«, rief er und versuchte, das Zischen der Spüldüse zu übertönen. »Eine Dreiviertelstunde. Nein, lieber eine ganze Stunde.«

Fulgencio hob die dunklen aztekischen Wimpern und sah ihn an. Dann setzte er ein breites Grinsen auf. »No entiendo«, sagte er.

Albert machte es in Zeichensprache vor. Dann zeigte er auf die Uhr, und nach hektischem beiderseitigem Kopfnicken war Fulgencio verschwunden. Munter vor sich hin pfeifend (*Core 'ngrato*, eines der Lieblingslieder seiner verstorbenen Mutter), huschte Albert an die Fleischtruhe und zog den hartgefrorenen Klumpen aus Fett und grauem Knorpel heraus, den er am Nachmittag im Supermarkt um die Ecke erstanden hatte. Nackenstück hieß das dort, zu 2 Dollar 39 das Pfund. Er riss das Ding aus der

Plastikfolie, griff nach seiner größten Bratpfanne, drehte das Gas darunter voll auf und ließ den steinharten Brocken ohne viel Federlesens in die sengende schwarze Tiefe des Kochgeräts fallen.

Eduardo hastete ein und aus, fand keine Zeit, nach dem Grund für die Abwesenheit von sowohl Marie als auch Fulgencio zu fragen. Hinaus gingen die Tournedos Rossini, das Barschfilet in Oursinade, die Kalbslende mit Salbei und Koriander, die *anguille alla veneziana* und die *zuppa di datteri Alberto*; herein kamen die schmutzigen Teller, die fettigen Gabeln, die mit Butter und Lippenstift verschmierten Weingläser. Eine gewaltige Qualmwolke erhob sich über der Pfanne auf der vorderen Flamme. Albert pfiff weiter vor sich hin.

Und dann, während eines von Eduardos wilden Sturmläufen durch die Küche, ergriff ihn Albert beim Arm. »Hier«, sagte er und schob ihm einen Teller hin. »Für den Begleiter von Miss Frank.«

Eduardo starrte verdutzt auf den Teller in seiner Hand. Arrangiert mit der ganzen Finesse eines Mensa-Spezialmenüs, lagen darauf drei gekochte Kartoffeln, ein Löffel verschrumpelte Erbsen und etwas, das sich nur als Schuhsohle bezeichnen ließ, hart und platt wie ein Hackklotz, schwarz wie der Boden der Pfanne.

»Vertrau mir«, sagte Albert und führte den sprachlosen Kellner an die Tür. »Ach so, hier«, damit schob er ihm noch eine Flasche Ketchup in die Hand, »servier ihm das dazu.«

Nichtsdestotrotz widerstand Albert der Versuchung, durch die Küchentür zu spähen. Stattdessen drehte er das Gas unter seinen Saucentöpfen zurück, strich sich das Haar an den Schläfen glatt und begann – ganz langsam, wie früher beim Spielen auf dem Schulhof –, bis fünfzig zu zählen. Er war noch nicht einmal bei zwanzig, als Willa Frank, grellfunkelnd in einem tomatenroten italienischen Strickkleid, durch die Tür stürmte. Eduardo folgte ihr auf dem Fuß, mit Märtyrerstimme und flehentlich ausgestreckten Händen. Albert warf den Kopf zurück, streckte die Brust vor und rückte die große Kugel seines Schmerbauchs unter dem blütenweißen Viereck der Schürze zurecht. Er entließ Eduardo mit einem flüchtigen Wink und wandte sich Willa Frank zu, auf den Lippen das schmale, beherrschte Lächeln eines Wahlkandidaten.

»Verzeihung«, sagte sie mit sich überschlagender, schriller Stimme, während Eduardo wieder hinaushuschte, »aber sind Sie hier der Chefkoch?«

Er zählte immer noch: achtundzwanzig, neunundzwanzig.

»Dann will ich Ihnen mal was sagen« – sie war

so zornig, dass sie kaum weitersprechen konnte –, »noch nie, noch nie in meinem Leben…«

»Schhhh«, machte er und hob den Zeigefinger vor die Lippen. »Ist ja gut«, murmelte er, und seine Stimme war so wohltuend und sanft wie eine Rückenmassage. Dann nahm er sie behutsam beim Ellbogen und führte sie zu einem Tisch, den er zwischen dem Herd und dem Hackklotz postiert hatte. Über den Tisch gebreitet lag ein schneeweißes Tuch, und aufgedeckt war feines Kristallglas, Porzellan und Sterlingsilber, das seiner Mutter gehört hatte. Es gab nur einen Stuhl, nur eine Serviette. »Setzen Sie sich«, sagte er.

Sie riss sich los. »Ich will mich nicht setzen«, protestierte sie, und in ihren schwarzen Augen flackerte ein Verdacht auf. Das Strickkleid schmiegte sich an ihren Körper wie ein Trikot. Ihre Absätze klapperten auf dem Linoleum. »Sie wissen es, nicht wahr?«, fragte sie und wich vor ihm zurück. »Sie wissen, wer ich bin.«

Groß, bärig und gelassen folgte Albert ihren Bewegungen, als würde er mit ihr tanzen. Er nickte.

»Aber weshalb –?« Er sah die entsetzliche Vision jenes geschändeten Steaks vor ihrem inneren Auge tanzen. »Das – das ist doch Selbstmord.«

Auf einmal hielt er einen Topf in der Hand. Er war ihr so nahe, dass er durch den dünnen, weichen

Stoff der Schürze die Fasern ihres Kleides spüren konnte. »Schhhh«, gurrte er, »denken Sie jetzt nicht darüber nach. Denken Sie an gar nichts. Hier«, sagte er und hob den Deckel vom Topf, »riechen Sie mal daran.«

Sie sah ihn an, als wüsste sie nicht mehr, wo sie war. Sie starrte in den dampfenden Topf und blickte dann wieder in seine Augen. Er sah die kleine unwillkürliche Bewegung ihrer Kehle.

»Kalamari in Aïoli«, flüsterte er. »Probieren Sie einen.«

Vorsichtig, ohne sie eine Sekunde aus den Augen zu lassen, stellte er den Topf auf dem Tisch ab, nahm einen Ring aus der Sauce und hielt ihn ihr vor den Mund. Ihre Lippen – volle, sinnliche Lippen, wie er jetzt sah, ganz und gar nicht die schmalen, mürrischen Hautlappen, die er sich vorgestellt hatte – begannen zu zittern. Dann schob sie das Kinn ein winziges Stückchen vor, und ihr Mund klappte auf. Er fütterte sie wie einen jungen Vogel.

Zuerst die Kalamari: ein, zwei, drei Stückchen. Dann Hummertortellini in einer dicken Safranbuttersauce. Sie leckte ihm die Sauce praktisch von den Fingern. Als er sie diesmal aufforderte, sich zu setzen, als er seine große Hand um ihren Ellbogen legte und sie zum Tisch führte, gehorchte sie.

Während er die kleinen, mit Atascadero-Ziegenkäse überbackenen Toasts mit den sonnengetrockneten Tomaten darauf aus dem Ofen nahm, warf er einen Blick durch das runde Fenster in den Speisesaal. Jocks Kopf war tief über den Teller gebeugt, das Bier zur Hälfte getrunken, ein großer Brocken verkohltes Fleisch auf den Zinken seiner Gabel aufgespießt. Seine mächtigen Kiefer mahlten, die eine Backe war ausgebeult, als hätte er ein riesiges Stück Kautabak darin. »So«, sagte Albert leise, wandte sich wieder zu Willa Frank und legte ihr seine warme, duftende Hand auf die Augen, »eine Überraschung.«

Erst als sie die *taglierini alla pizzaiola* mit der hausgemachten Fenchelkrautwurst und den Tomatenscheiben aufgegessen hatte und die ersten Geschmackssensationen seines Halbgefrorenen aus Grapefruit und Limette erlebte, fragte er sie wegen Jock. »Warum er?«, wollte er wissen.

Sie probierte das Sorbet mit einem winzigen Silberlöffel und leckte sich einen Klecks davon aus dem Mundwinkel. »Ich weiß auch nicht«, sagte sie achselzuckend. »Wahrscheinlich traue ich meinem eigenen Geschmack nicht, das wird's sein.«

Er runzelte die Stirn. Er stand über sie gebeugt, innig, betulich, und bot ihr eine Pfanne mit russischem Kulebiaki dar, Lachs in Briocheteig mit dem saftigen Mark und dem Kaviar des Störs.

Sie musterte seine Hände, die jetzt das Sorbet wegzogen und dafür die schimmernden Kulebiaki hinstellten. »Ich meine«, sagte sie und unterbrach sich, als er ein Stück auf die Gabel nahm und sie damit fütterte, »oft schmecke ich überhaupt nichts, glaube ich, wirklich«, jetzt kaute sie, ihr reizender Kehlkopf hob und senkte sich beim Schlucken, »und Jock – also, der findet *alles* grässlich. Sein Urteil ist wenigstens beständig.« Sie nahm noch einen Bissen, hielt inne und überlegte. »Und außerdem: Etwas zu mögen, es wirklich zu mögen und das dann auch öffentlich zu sagen, das ist ein furchtbares Risiko. Ich meine, was ist, wenn ich unrecht habe? Was ist, wenn es in Wahrheit mies ist?«

Albert stand dicht bei ihr. Draußen hatte es zu regnen begonnen. Vor der Tür prasselte es wie heißes Fett. »Versuchen Sie das hier«, sagte er und stellte einen Teller mit Spießchen vor sie.

Ihr war warm. Ihm war warm. Der Ofen glühte, der Grill zischte, die Düfte seiner Kreationen stiegen rings um sie auf, Manna und Ambrosia. »Mmm, gut«, meinte sie und knabberte geistesabwesend an etwas Prosciutto und Mozzarella. »Ich weiß nicht«, sagte sie nach einer Weile. Ihre Finger waren braun von Anchovissauce. »Ich glaube, deswegen mag ich auch so gern Fugu.«

»Fugu?« Albert hatte irgendwann schon einmal davon gehört. »Etwas Japanisches, oder?«

Sie nickte. »Es ist ein Kugelfisch. Sie bereiten ihn als Sushi zu oder in kleinen, gebratenen Streifen. Aber am besten ist die Leber. Hier bei uns ist sie verboten, wussten Sie das?«

Albert wusste es nicht.

»Man kann daran sterben. Sie enthält ein Lähmungsgift. Aber wenn man nur davon kostet, nur ein kleines Stückchen, dann betäubt es die Lippen, die Zähne, den ganzen Mund.«

»Was meinen Sie damit – etwa so wie beim Zahnarzt?« Albert war bestürzt. Es betäubte die Lippen, den Mund? Der reinste Frevel. »Das ist ja furchtbar«, sagte er.

Sie wirkte schüchtern, wirkte verschämt.

Er wandte sich zum Ofen und drehte sich wieder um, eine weitere Pfanne in der Hand. »Bloß einen Bissen noch«, lockte er.

Sie klopfte sich auf den Bauch und schenkte ihm ein offenes, breites, erblühendes Lächeln. »Oh nein, nein, Albert – kann ich Sie Albert nennen? – nein, nein, ich kann nicht mehr.«

»Komm«, sagte er, »komm doch«, mit einer Stimme so sanft wie die eines Liebhabers. »Mach den Mund auf.«

Julian Barnes

Ein kochender Spätzünder

Als Koch bin ich ein Spätzünder. In meiner Kindheit blieb das Geschehen in Wahlkabine, Ehebett und Kirchenbank hinter dem Schleier konventioneller Vornehmheit verborgen. Mir fiel gar nicht auf, dass es in einem mittelständischen englischen Haushalt noch einen vierten geheimen – jedenfalls für Jungen geheimen – Ort gab: die Küche. Aus der kamen Mahlzeiten und meine Mutter heraus; die Mahlzeiten basierten oft auf den Gartenerträgen meines Vaters, doch weder er selbst noch mein Bruder oder ich fragten je, wie diese Verwandlung zustande gekommen war, und wir wurden auch nicht dazu ermuntert. Niemand ging so weit zu behaupten, Kochen sei Weiberkram; die Männer im Haus hatten einfach nicht das Zeug dazu. An Schultagen machte mein Vater morgens das Frühstück – aufgewärmten Porridge mit goldgelbem Sirup, Speck und Toast, während seine Söhne zum Schuheputzen und zur Versorgung des Küchenherds eingeteilt waren: Asche auskratzen, Koks nachfüllen.

Mit solchen morgendlichen Handlangerdiensten war die Grenze der männlichen Küchenkompetenz aber schon klar erreicht. Das zeigte sich einmal in aller Deutlichkeit, als meine Mutter verreisen musste. Mein Vater machte mir mein Lunchpaket zurecht, und da ihm das Prinzip des Sandwichs fremd war, tat er liebevoll kleine Extras dazu, von denen er wusste, dass ich sie besonders gern mochte. Dieses Paket öffnete ich dann etliche Stunden später in einem Southern-Region-Zug zu einem auswärtigen Sportplatz vor den Augen meiner Rugby-Kameraden. Meine Sandwiches waren aufgeweicht, in ihre Bestandteile zerfallen und knallrot von den väterlichen Rote-Bete-Scheiben; sie erröteten für mich wie ich für ihren Schöpfer.

Auch sonst war es mit dem Kochen so wie mit Sex, Politik und Religion: Als ich allmählich selbst dahinterkam, konnten meine Eltern mir nichts mehr darüber erzählen. Sie hatten mich nicht aufgeklärt, und zur Strafe würde ich sie jetzt nicht fragen. Mit Mitte zwanzig studierte ich Jura, aber die Gerichte, die ich ausheckte, waren mitunter kriminell. Ganz oben auf meiner Liste stand Nackenkotelett mit Erbsen und Kartoffeln. Die Erbsen kamen natürlich aus der Tiefkühltruhe, die Kartoffeln aus der Dose, wo sie fertig geschält in einer süßlichen Lake schwammen, die ich gern trank;

das Kotelett hatte keinerlei Ähnlichkeit mit irgendetwas, das mir im späteren Leben unter diesem Namen begegnete. Knochenfrei, vorgeformt und leuchtend rosa zeichnete es sich dadurch aus, dass es seine fluoreszierende Farbe auch nach stundenlangem Braten nicht verlor. So konnte der Koch nicht viel falsch machen: Solange das Fleisch nicht mehr eiskalt und noch nicht kohlschwarz verbrannt war, war alles in Ordnung. Dann wurde großzügig Butter über Erbsen, Kartoffeln und in der Regel auch über das Kotelett gegossen.

Die wesentlichen Elemente meiner damaligen »Kochkünste« waren Armut, Unfähigkeit und kulinarischer Konservatismus. Andere hätten sich vielleicht von Innereien ernährt; ich zog die Grenze bei Zunge aus der Dose, obwohl Corned Beef zweifellos auch Körperteile enthielt, die mir im Originalzustand nicht zugesagt hätten. Ein Standardgericht war Lammbrust: einfach in der Zubereitung, Garpunkt relativ leicht zu erkennen, ausreichend für drei Mahlzeiten hintereinander, Gesamtpreis rund einen Shilling. Dann wagte ich mich an Lammschulter. Dazu gab es bei mir eine gewaltige Pastete aus Lauch, Möhren und Kartoffeln nach einem Rezept aus dem Londoner *Evening Standard*. Die Käsesoße zu der Pastete schmeckte immer stark nach Mehl, was sich beim täglichen Wiederaufwärmen aber allmählich legte. Den Grund habe ich erst später herausgefunden.

Mein Repertoire erweiterte sich. Vor allem Fleisch und Gemüse galt es zu beherrschen oder doch einigermaßen im Griff zu haben. Dann kamen Nachspeisen und die eine oder andere Suppe, später – viel später – Gratins, Pasta, Risotto und Soufflés. Fisch war immer ein Problem, das bis heute nur halb gelöst ist.

Bei Besuchen zu Hause kam heraus, dass ich kochte. Mein Vater beobachtete diese Entwicklung mit demselben sanften, liberalen Argwohn, den er zuvor schon gezeigt hatte, als ich bei der Lektüre des *Kommunistischen Manifests* ertappt wurde oder ihn nötigte, sich Streichquartette von Bartók anzuhören. Wenn es nur das ist, schien er zu denken, kann ich wohl damit leben. Meine Mutter war eher erfreut; sie hatte keine Töchter, aber immerhin ein Kind, das ihre jahrelange Küchenfron im Nachhinein zu würdigen wusste. Nicht, dass wir etwa zusammengehockt und Rezepte ausgetauscht hätten, aber sie bemerkte sehr wohl, welch begehrliche Blicke ich nun auf ihre uralte Ausgabe von *Mrs Beeton* warf. Mein Bruder lebte unter dem schützenden Dach von akademischen Einrichtungen und Ehe und schlug bis zu seinem fünfzigsten Lebensjahr höchstens mal ein Ei in die Pfanne.

Infolge dieser Umstände – und ich gebe beharrlich »den Umständen« die Schuld statt mir selbst – koche ich heute zwar mit Vergnügen und Begeisterung, aber mit wenig Phantasie und Experimentierfreude. Ich brauche eine präzise Einkaufsliste und ein gouvernantenhaftes Kochbuch. Der unbeschwerte Gang über den Markt – einfach mit einem Weidenkorb über dem Arm losspazieren, in aller Ruhe das Beste aus dem Tagesangebot auswählen und dann etwas daraus zusammenbrutzeln, das es vielleicht schon mal gegeben hat, vielleicht aber auch nicht – ist ein Ideal, das für mich ewig unerreichbar bleiben wird.

In der Küche bin ich ein ängstlicher Pedant. Ich halte mich an vorgegebene Temperaturen und Garzeiten. Ich traue Instrumenten mehr als mir selbst. Wahrscheinlich werde ich nie eine Garprobe machen, indem ich den Zeigefinger in ein Stück Fleisch stupse. Bei Rezepten nehme ich mir nur eine Freiheit heraus, nämlich die Menge einer Zutat zu erhöhen, die meinen besonderen Beifall findet. Die Fallstricke dieses Ansatzes zeigten sich eines Tages bei einem sagenhaft widerlichen Gericht aus Makrelen, Martini und Semmelbröseln: Es machte die Gäste eher betrunken als satt.

Ich koste auch nicht gern zwischendurch und habe dafür stets eine Entschuldigung parat. Zum

Beispiel: Jetzt am Nachmittag, wo ich noch das Aroma von süßem Tee im Mund habe, kann das doch überhaupt nicht so schmecken, wie es heute Abend nach einem aufmunternden Gin Tonic schmecken wird und soll. Im Klartext: Ich fürchte mich vor der Entdeckung, dass es in diesem Stadium gar nicht wie richtiges Essen schmeckt. Ein anderes bewährtes Hintertürchen ist, sich einzureden, Kosten sei überflüssig, weil man das Rezept bis aufs i-Tüpfelchen befolgt hat. Und da das Rezept a) nicht vorschreibt, an dieser Stelle zu kosten, und b) von einer anerkannten Autorität stammt, kann dabei nur herauskommen, was herauskommen soll.

Dass dies von einer gewissen Unreife zeugt, ist mir durchaus bewusst. Dasselbe gilt für meine infantilen Anwandlungen von Meisterkoch-Allüren. Sollten Sie in meiner Küche stehen, beiläufig den Finger irgendwo hineintunken und verkünden, das schmecke gut, wäre ich stinksauer, weil ich mich darauf gefreut hatte, Sie damit bei Tisch zu überraschen. Wenn Sie hingegen ganz sachte, hochherzig und höflich andeuteten, hier könnte ein zusätzlicher Hauch Muskat nicht schaden oder die Soße ließe sich womöglich noch etwas weiter reduzieren, würde ich das als äußerst unfeine Einmischung betrachten.

Oft richtet sich mein Zorn auch gegen die Kochbücher, auf die ich mich so verlasse. Dabei ist Pedanterie auf diesem Gebiet doch ebenso verständlich wie wichtig, und wer könnte pedantischer sein als ein autodidaktischer, ängstlicher Haus-Koch, der finsteren Blicks auf die Seiten starrt? Und warum sollte ein Kochbuch weniger präzise sein als ein chirurgisches Handbuch? (Immer vorausgesetzt, chirurgische Handbücher sind tatsächlich so präzise, wie man nervenbebend annimmt. Womöglich lesen sich manche ja auch wie ein Kochbuch: »Man kippe einen Schuss Betäubungsmittel in den Schlauch, hacke ein Stück von dem Patienten ab, sehe zu, wie das Blut rausrinnt, trinke ein Bier mit seinen Kumpels, nähe das entstandene Loch wieder zu…«) Warum sollte ein Wort in einem Rezept weniger Gewicht haben als ein Wort in einem Roman? Hier kann es körperliche Beschwerden auslösen, dort geistige.

Manchmal wünsche ich mir, es wäre alles anders; das habe ich mit den meisten kochenden Spätzündern gemein. Hätte meine Mutter mir damals nur beigebracht, wie man kocht und bäckt… Von allem anderen abgesehen, würde ich dann heute nicht so erbärmlich nach Lob gieren. Kaum ist die Haustür hinter den letzten Gästen ins Schloss gefallen, quillt mir das gewohnheitsmäßige Gejammer über die

Lippen: »Ich hab das Lamm/Rindfleisch/sonst was zu lange im Ofen gelassen.« Soll heißen: »Ich habe es doch nicht etwa zu lange im Ofen gelassen, und wenn doch, war es nicht schlimm, oder?« Meistens ernte ich dann den ersehnten Widerspruch und ab und zu eine sanfte Erinnerung an die Regel der Hausordnung, dass man nach dem fünfundzwanzigsten Geburtstag die Eltern für nichts mehr verantwortlich machen darf. Ja, man darf ihnen sogar verzeihen. Also gut, Dad, diese Rote-Bete-Sandwiches damals, die waren völlig okay, eigentlich ganz lecker und – nun ja – wirklich originell. Hätte ich selbst nicht besser machen können.

Paul Auster

Zwiebelkuchen

1973 wurde mir ein Job als Verwalter eines Bauernhauses in Südfrankreich angeboten. Die juristischen Probleme meiner Freundin hatten sich längst erledigt, und da unsere sporadisch aufflackernde Beziehung gerade mal wieder sehr gut zu laufen schien, beschlossen wir, den Job gemeinsam anzunehmen. Wir waren damals beide knapp bei Kasse, und ohne dieses Angebot wären wir gezwungen gewesen, nach Amerika zurückzukehren – wozu wir beide noch nicht bereit waren.

Es sollte ein sonderbares Jahr werden. Einerseits war das Anwesen einfach wundervoll: ein großes steinernes Gebäude aus dem achtzehnten Jahrhundert zwischen Weingärten auf der einen Seite und einem Staatsforst auf der anderen. Das nächste Dorf war zwei Kilometer entfernt, aber dort lebten nicht mehr als vierzig Menschen, keiner davon unter sechzig oder siebzig. Also ein ideales Fleckchen für zwei junge Schriftsteller, und L. und ich arbeiteten hart dort und schafften in diesem einen Jahr mehr, als wir je für möglich gehalten hätten.

Andererseits lebten wir ständig am Rand einer Katastrophe. Von unseren Brötchengebern, einem amerikanischen Ehepaar, das in Paris wohnte, bekamen wir monatlich ein kleines Gehalt (fünfzig Dollar), Benzingeld fürs Auto sowie einen Betrag, von dem wir das Futter für die beiden zum Haus gehörenden Labradorhunde kauften. Alles in allem eine großzügige Regelung. Wir mussten keine Miete zahlen, und wenngleich das Gehalt zur Bestreitung unserer monatlichen Ausgaben nicht ausreichte, deckte es doch immerhin einen Teil davon. Den Rest wollten wir mit Übersetzungen hinzuverdienen. Bevor wir von Paris aufs Land zogen, hatten wir uns eine Reihe von Aufträgen besorgt, die uns über das Jahr hinweghelfen sollten. Dabei hatten wir allerdings nicht bedacht, dass Verlage oftmals säumige Zahler sind. Ebenso wenig hatten wir berücksichtigt, dass Wochen vergehen können, bis ein Scheck, der von einem Land ins andere geschickt wird, eingelöst werden kann, und dass, wenn es dann so weit ist, Bank- und Wechselgebühren den Auszahlungsbetrag erheblich verkleinern. Da L. und ich in unserer Planung keinen Spielraum für Irrtümer oder Rechenfehler gelassen hatten, gerieten wir häufig in ziemliche Bedrängnis.

Ich erinnere mich, wie ich bei Anfällen von Nikotinsucht mit vor Gier betäubten Gliedern unter Sofakissen und Schränken nach Kleingeld suchte. Für achtzehn Centime (etwa dreieinhalb Cent) bekam man ein Viererpäckchen Zigaretten der Marke Parisiennes. Ich erinnere mich, wie ich beim Füttern der Hunde dachte, sie hätten besser zu essen als ich. Ich erinnere mich an Gespräche mit L., in denen wir ernsthaft überlegten, ob wir uns zum Abendessen eine Dose Hundefutter aufmachen sollten.

Unsere einzige andere Einkommensquelle in diesem Jahr war ein Mann namens James Sugar. (Ich mache mir nichts aus symbolischen Namen, aber Tatsachen sind Tatsachen, ich kann es nun einmal nicht ändern.) Sugar war festangestellter Fotograf bei *National Geographic* und trat in unser Leben, weil er für einen unserer Auftraggeber an einem Artikel über die Region arbeitete. Er fuhr monatelang mit einem von der Zeitschrift zur Verfügung gestellten Mietwagen durch die Provence und machte seine Fotos, und wann immer er in unsere Gegend kam, pflegte er bei uns zu übernachten. Da ihm die Zeitschrift auch ein Spesenkonto eingeräumt hatte, steckte er uns in seiner Freundlichkeit jedes Mal das Geld zu, mit dem seine Hotelkosten abgegolten wurden. Wenn ich mich recht erinnere, war es ein

Betrag von fünfzig Franc pro Nacht. L. und ich wurden praktisch seine privaten Gastwirte, und da Sugar obendrein ein liebenswerter Mensch war, freuten wir uns immer, ihn zu sehen. Problematisch dabei war nur, dass wir nie wussten, wann er auftauchen würde. Er rief niemals vorher an, und oft genug vergingen etliche Wochen zwischen zwei Besuchen, weshalb wir lernten, nicht mit Mr Sugar zu rechnen. Er kam aus dem Nichts, fuhr in seinem leuchtend blauen Wagen bei uns vor, blieb ein oder zwei Nächte und verschwand dann wieder. Und jedes Mal nahmen wir an, wir hätten ihn zum letzten Mal gesehen.

Am schlimmsten wurde es für uns im Spätwinter und zu Frühjahrsbeginn. Es kamen keine Schecks, einer der Hunde wurde gestohlen, und unsere Essensvorräte in der Küche schwanden nach und nach dahin. Am Ende hatten wir nur noch eine Tüte Zwiebeln, eine Flasche Speiseöl und eine Packung Pastetenteig, den jemand gekauft hatte, noch bevor wir in das Haus eingezogen waren – ein muffiges Überbleibsel aus dem vorigen Sommer. L. und ich hielten den ganzen Vormittag und noch etwas länger aus, aber um halb drei obsiegte der Hunger, und so gingen wir in die Küche, um unsere letzte Mahlzeit zuzubereiten. In Anbetracht der wenigen vorhandenen Zutaten war ein Zwiebelkuchen das Einzige, was sich machen ließ.

Als wir glaubten, unsere Kreation sei lange genug im Backofen gewesen, holten wir sie heraus, stellten sie auf den Tisch und machten uns darüber her. Wider Erwarten fanden wir sie beide köstlich. Ich glaube, wir gingen sogar so weit, sie als das Schmackhafteste zu bezeichnen, was wir je gegessen hatten; aber das war zweifellos nur ein Trick, ein halbherziger Versuch, uns bei Laune zu halten. Aber nach einigen weiteren Bissen stellte sich Enttäuschung ein. Schweren, sehr schweren Herzens mussten wir uns eingestehen, dass der Kuchen noch nicht ganz durchgebacken, dass er in der Mitte noch viel zu kalt war. Es blieb uns nichts anderes übrig, als ihn noch einmal für zehn oder fünfzehn Minuten in den Ofen zu tun. Angesichts unseres Hungers und der Tatsache, dass unsere Speicheldrüsen gerade erst aktiviert worden waren, fiel es nicht leicht, mit dem Essen aufzuhören.

Um unsere Ungeduld zu zügeln, unternahmen wir einen kurzen Spaziergang, denn wir meinten, draußen, weg von dem köstlichen Duft in der Küche, würde die Zeit schneller vergehen. Wie ich es in Erinnerung habe, gingen wir einmal ums Haus, vielleicht auch zweimal. Vielleicht kamen wir auf irgendein interessantes Thema zu sprechen (ich kann mich nicht erinnern), aber wie es auch geschah, wie lange wir auch weg waren, als wir ins Haus zurückkehrten, war die Küche voller Rauch. Wir stürzten zum Backofen und holten den Kuchen heraus, aber zu spät. Unser Essen war hinüber. Es war zu einer schwarz verkohlten Masse verbrannt, von der kein Bissen mehr zu retten war.

Heute klingt das wie eine komische Geschichte, aber damals war es alles andere als komisch. Wir waren in ein dunkles Loch gefallen, und keiner von uns konnte sich vorstellen, wie wir wieder herauskommen sollten. In all den Jahren, die ich darum kämpfte, ein Mensch zu sein, dürfte es keinen Augenblick gegeben haben, in dem mir weniger nach Lachen oder Scherzen zumute war. Wir waren wirklich am Ende, in einer furchtbaren, beängstigenden Situation.

Das war um vier Uhr nachmittags. Keine Stunde später hielt, eine Staubwolke aufwirbelnd, Sand und Kies unter den Reifen zermalmend, der nomadische Mr Sugar vor unserem Haus. Wenn ich mich stark genug konzentriere, sehe ich noch immer das naive, alberne Lächeln auf seinem Gesicht, mit dem er aus dem Wagen sprang und hallo sagte. Es war ein Wunder. Es war ein echtes Wunder, und ich habe es mit eigenen Augen gesehen und am eigenen Leib erlebt. Bis dahin hatte ich immer gedacht, so etwas passiert nur in Büchern.

Sugar spendierte uns an diesem Abend ein Essen

in einem Zweisternerestaurant. Wir aßen reichlich und gut, wir leerten mehrere Flaschen Wein, wir lachten uns schief und krumm. Aber so köstlich das Essen auch gewesen sein mag, ich kann mich an nichts davon erinnern. Nur den Geschmack des Zwiebelkuchens habe ich nie vergessen.

Jakob Arjouni

Ringo

Ringo, 35 Jahre, freier Journalist, wohnhaft in Berlin Schöneberg, stand mit dem Telefon am Fenster seines Arbeitszimmers, schaute auf die in Berlin Ende März immer noch kahlen Bäume und freute sich. Eben hatte ihn die Redakteurin einer Frauenillustrierten gefragt, ob er für drei Tage nach Olonzac, Südfrankreich, fahren könne. Dort sollte er die Autorin Barbara Richter, deren neuer Roman Anfang Mai erschien, besuchen und ein Portrait über sie schreiben.

Drei Tage später saß Ringo im Flugzeug nach Montpellier und las das Manuskript von *Im Schatten des Feigenbaums*. Die Geschichte drehte sich um die junge, sehr erfolgreiche deutsche Filmschauspielerin Gloria, die völlig überarbeitet, übernächtigt und von Drogen, Alkohol und Affären gebeutelt eines Morgens beschloss, für ein paar Wochen auszuspannen und zu ihrem Onkel Fabian und seiner Familie nach Südfrankreich zu fahren. Fabian war Weinbauer und, wie es im Roman hieß, ›ein wunderlicher, nicht immer freundlicher Kerl, der oft in Rätseln sprach‹. »Ich bin ein Nach-dem-Apfel-der-Äpfel-Suchender«, ließ die Autorin Fabian während einer Bootsfahrt auf dem Canal du Midi sagen, und nachdem Ringo den Satz zwei Mal gelesen hatte, schaute er auf eine Art vor sich hin, dass sein Sitznachbar sich erkundigte, ob alles in Ordnung sei. Dann verliebte sich der wortkarge, durchdringend blickende Sohn des Dorfbäckers in Gloria, und als sie nach vielem Hin und Her endlich einsah, dass keine Titelgeschichte der Welt die Liebe aufwiegt, sagte sie ihren nächsten Film ab, traf den Bäckersohn auf Seite 231 auf einer ›wilden, von unzähligen Mohnblüten in loderndes Rot getauchten Wiese‹ und ›trat aus den harten Lichtern des Showbusiness in den sanften Schatten eines Feigenbaums.‹ Während Ringo überlegte, ob er Barbara Richter fragen sollte, ob sie mit ›sanft‹ und ›Feigen‹ auf die weibliche Sexualität anspielte und mit ›hart‹ und ›Show‹ auf die männliche, setzte das Flugzeug zur Landung an.

»Kommen Sie, kommen Sie«, Barbara Richter winkte ihn durch den langen Flur, »wir setzen uns erstmal in den Garten und trinken was. Sie müssen nach der Reise ja ganz groggy sein. Pastis, Wein, vielleicht einen Kir?«

»Ähm…« Ringo überlegte, wann er das Wort

groggy zum letzten Mal gehört hatte. Am liebsten wollte er einen starken Kaffee.

»Trinken Sie doch einen Rosé mit, ich habe die Flasche gerade aufgemacht, und so einen phantastischen Rosé werden Sie in Berlin kaum kriegen. Er ist gleich hier von einem befreundeten Weinbauern.« Sie deutete mit dem Daumen hinter sich.

»Gerne«, sagte Ringo.

Als sie im Garten unter einem Dach aus Glyzinien saßen, und Ringo angetan auf die Hügel voller Mandelbäume und knospender Weinstöcke ringsherum schaute, sagte Barbara Richter: »Mein Mann ist noch schnell zum Fischer gefahren, um uns für heute Abend ein paar schöne Rougets zu holen. Sie essen doch mit uns?«

»Wenn es keine Umstände macht...«

»Ach was, Umstände! Unsere Bude ist immer voll, das sind wir gewöhnt. Kennen Sie überhaupt Rougets?«

Ringo dachte: ›Bude!‹, und antwortete: »Nein.«

»Ganz feine kleine rote Fische, schmecken fast wie *crevettes*.« Sie sprach es krewett aus. »*Crevettes*?«

Ringo nickte und sagte »Krabben« und nicht Krevetten, weil er Barbara Richter nicht lächerlich machen wollte.

»Ach, wahrscheinlich wissen Sie bei so was viel besser Bescheid als ich. Ich bin ja eigentlich eine ganz ungebildete Person.« Sie lachte. »Naja, und mein Sohn ist noch beim Bouleturnier. Boule?«

»Ja.«

»Ein tolles Spiel, nicht? Ich könnte stundenlang zugucken. Es inspiriert mich. Dabei kommen mir die besten Ideen für meine Geschichten. Wie das klingt, wenn die Kugeln gegeneinanderstoßen – so sollte auch gute Prosa klingen. Und wenn man bedenkt, womit Konstantin in seinem Alter – er ist gerade siebzehn geworden – samstagnachmittags in irgendeiner Großstadt seine Zeit verbringen würde... Furchtbar, was da manchmal im Fernsehen gezeigt wird. Die jungen Leute, so verloren, so hoffnungslos. Das Einzige, was noch zählt, ist Geld, sind Klamotten und neue Schießtot-Computerspiele. Aber wie zum Beispiel eine echte Tomate schmeckt, das weiß keiner mehr. Und überhaupt: Was das Leben ausmacht oder ausmachen sollte, und worauf es eigentlich ankommt, das wird den jungen Leuten heutzutage doch mit solcher Vehemenz verschwiegen, damit sie nur bloß nicht auf die Idee kommen, etwas anderes zu wollen als die Fünf-Minuten-Terrine, ein rundes, buntes, lächerliches Auto und eine Freundin wie Nicole Kidman.« Sie sah einen Moment in die Ferne, und Ringo dachte: ›Wo sie recht hat, hat sie recht.‹

»Ach naja, jetzt trinken wir erstmal einen Schluck.

Prost – oder wie wir hier sagen: Santé! Herzlich willkommen in Olonzac!«

Wenig später passierte dann das, wonach Ringo anfing, Barbara Richters Einsamkeit immer weniger auszuhalten. Noch auf dem Rückflug musste er oft an das Lächeln des Bauern denken. Eigentlich eine Kleinigkeit, aber für Ringo das Symbol der gesamten Begegnung. Hätte er nicht gewusst, dass die Redakteurin der Frauenillustrierten einen positiven südfrankreich-romantischen Text erwartete, den sie mit Fotos von Lavendelfeldern und alten, braungebrannten Männern illustrieren konnte, wäre es die zentrale Szene seines Portraits geworden.

Während Barbara Richter sich weiter mit ununterbrochenem Redeschwall bemühte, vor Ringo das Bild eines erfüllten, glücklichen Familien- und Schriftstellerinnenlebens zwischen Fische kaufen und Boule zu entwerfen, kam ein Mann den Weinberg herunter. Er trug blaue Arbeitskleidung und ein Bündel Äste über der Schulter. Als er in den Weg einbog, der direkt am Garten vorbeiführte, sagte Barbara Richter gerade: »... Und so bin ich auch eine Nach-dem-Apfel-der-Äpfel-Suchende. Ich will immer das Beste – nicht zu verwechseln mit dem Teuersten oder Hochentwickelsten, sondern das Ursprünglichste, Reinste. Im Grunde bin ich auf der Suche nach Adam und Eva, wenn Sie verstehen was ich meine? … Oh, da kommt ja Maurice! Salut Maurice!«

Sie stand vom Stuhl auf und winkte. »Ça va, Maurice?«

Doch Maurice reagierte kaum, schaute nur kurz herüber, lächelte freundlich auf eine Art, als grüßte ihn ein fremdes Kind in einer fremden Stadt, und ging vorbei.

»Das war Maurice«, sagte Barbara Richter.

»Ach ja«, sagte Ringo.

In Berlin regnete es, die Bäume waren immer noch kahl, und das Taxi roch nach Currywurst. Doch Ringo freute sich, wieder zu Hause zu sein. Auch er hatte schon manchmal von einem Häuschen im Süden und entspannter Arbeit unterm Sonnenschirm geträumt, aber seine Freunde und seine Stadt waren ihm in den letzten drei Tagen so wichtig geworden wie schon lange nicht mehr. Trank er eben chilenischen Rotwein und aß Tiefkühlfischfilets, dafür lebte er ein richtiges Leben mit Menschen, die ihn kannten und mochten, und kein einsames Konzept zur Rückkehr ins Paradies.

Vor seinem Lieblingsrestaurant ließ Ringo den Taxifahrer kurz halten. Er wollte sich für die letzten drei Tage mit einem schönen Essen an einem vertrauten Ort belohnen und für den Abend einen Tisch reservieren. Es war nachmittags um vier, und der Saal war bis auf einen jungen Mann hinterm Tresen leer.

»Hallo, Igor«, rief Ringo.

Der Mann hinterm Tresen sah von einer Zeitung auf. »Oh! Hallo!« Er lächelte breit. »Wie geht's?«

»Ein bisschen erschöpft, darum muss ich mir auch was Gutes tun.« ... Was Gutes tun? Redete er jetzt auch schon so, als lebte er seit fünfzehn Jahren in Südfrankreich? »Ist heute Abend noch ein Tisch frei?«

»Klar, für dich immer. Wie viele Personen?«

»Ach, ich denke, ich komm alleine.«

»Okay«, sagte der Mann und schrieb in einen Block. Ringo hatte sich schon wieder zur Tür gewandt, als der Mann vom Block aufsah und fragte: »Tschuldigung, kannst du mir noch deinen Namen sagen?«

Banana Yoshimoto

Kitchen

Der liebste Platz auf dieser Welt ist mir die Küche.

Ganz gleich, was sonst geschieht – in einer Küche, an einem Ort, an dem man kochen kann, da geht's mir gut. Wenn diese Küche auch noch praktisch ist und alles darin seinen festen Platz hat, wenn überall saubere Tücher hängen und die weißen Fliesen funkeln und blitzen, dann ist's perfekt. Doch auch für wahnsinnig schmuddelige Küchen kann ich mich begeistern.

Für Küchen etwa, deren Boden mit Gemüseresten übersät ist und so schmutzig, dass die Sohlen meiner Schlappen schwarz werden, und deren Boden eine Riesenfläche hat; so was finde ich toll. Vielleicht ragt darin ein riesiger Kühlschrank auf, vollgestopft mit Lebensmitteln, so vielen, dass man leicht über den ganzen Winter kommt. Vor dem stehe ich, gelehnt an seine metallene Tür. Wenn ich den Blick vom fettbespritzten Gasherd und den angerosteten Messern hebe, leuchten draußen vor dem Fenster einsam die Sterne.

Übriggeblieben sind dann ich und die Küche. Ein tröstlicher Gedanke, wenn ich mir vorstelle, nur ich allein wäre noch da.

Manchmal, wenn ich total am Ende bin, denke ich mir: Wenn ich einmal sterben muss, dann will ich meinen letzten Atemzug in einer Küche tun. Ganz gleich, ob ich allein bin und es kalt ist, ob jemand bei mir sitzt und es warm ist: Furchtlos will ich da den Dingen entgegensehen. Wenn es nur in einer Küche wäre, denke ich – wie schön!

Bevor mich die Tanabes aufgelesen haben, schlief ich nachts immer in der Küche.

Da ich anfangs, wo ich mich auch hinlegte, nur schwer einschlafen konnte, bewegte ich mich auf der Suche nach einem angenehmeren Schlafplatz immer weiter von meinem Zimmer weg. Bis ich eines frühen Morgens herausfand, dass ich neben dem Kühlschrank am besten schlief.

Ich, Mikage Sakurai, habe Vater und Mutter verloren, als sie noch jung waren. Meine Großeltern haben mich aufgezogen. Als ich in die Mittelschule kam, starb auch Großvater. Seitdem schlug ich mich allein mit Großmutter durchs Leben.

Und nun, vor kurzem erst, ist auch Großmutter gestorben. Ein echter Schock für mich.

Wenn ich mir so vorstellte, wie meine Familie –

und ich habe ja tatsächlich eine gehabt – im Lauf der Zeit immer kleiner geworden war, bis zuletzt nur noch ich übrigblieb, schien es mir, als könne ich an nichts mehr glauben. Wie konnte in dieser Wohnung, in der ich geboren und aufgewachsen bin, ich allein übriggeblieben sein, während die Zeit so gleichmäßig dahinfloss? Ich war total erschrocken.

Reinste Science-Fiction. Das Dunkel des Weltraums.

Nach der Beerdigung war ich erst mal drei Tage völlig weg.

Leise schleppte ich eine sanfte Müdigkeit hinter mir her, die die übergroße, tränenlose Traurigkeit hervorgerufen hatte. Abends legte ich im stillen Licht der Küche meinen Futon aus. In eine Wolldecke gekuschelt, wie Linus aus dem Comicstrip, schlief ich ein. Das gleichmäßige Summen des Kühlschranks hielt alle Gedanken der Einsamkeit von mir fern. Eine ruhige, lange Nacht ging vorüber, der Morgen kam.

Unter den Sternen wollte ich schlafen.

Im Morgenlicht wollte ich erwachen.

Alles andere war, ohne eine Spur zu hinterlassen, an mir vorübergegangen.

Doch halt! So konnte es nicht weitergehen. Schließlich ist das Leben ernst!

Auch wenn Großmutter genügend Geld hinterlassen hatte, war die Wohnung für mich allein zu groß. Und zu teuer. Ich musste eine neue Bleibe finden.

So kaufte ich mir ein Anzeigenmagazin und blätterte darin herum. Als ich die vielen Wohnungsangebote sah, von denen, wie mir schien, eines dem anderen glich, wurde mir ganz schwindlig. Umziehen ist mühsam. Wer umzieht, braucht Power!

Und die fehlte mir. Da ich Tag und Nacht in der Küche herumgelegen hatte, taten mir außerdem sämtliche Knochen weh. Als ich versuchte, meinen Kopf, dem alles egal war, wieder zum Ticken zu bringen, packte mich bei dem Gedanken, ich müsse nun eine Wohnung suchen! den ganzen Kram transportieren! ein Telefon beantragen! mich um andere, mindestens ebenso lästige Dinge kümmern! ein Gefühl der Verzweiflung. Und dann, ich erinnere mich genau, als ich eines Nachmittags wieder in der Küche lag, geschah plötzlich ein Wunder.

Ding-dong, klingelte es an der Tür.

Ich hatte gerade überlegt, ob ich das Anzeigenmagazin, das durchzublättern mir zu dumm geworden war, mit anderen Zeitschriften zu einem Bündel verschnüren sollte. Mit dem Gedanken, umziehen zu müssen, hatte ich mich allerdings inzwischen abgefunden. Rasch sprang ich auf, rannte zum Eingang, halb angezogen, löste, ohne etwas dabei zu denken, das Schloss und öffnete die Tür. (Wie gut, dass es kein Raubüberfall war.) Vor mir stand Yūichi Tanabe.

»Vielen Dank nochmals für deine Hilfe«, sagte ich. Yūichi war ein wirklich netter Kerl, ein Jahr jünger als ich, und er hatte mir bei der Beerdigung meiner Großmutter viel geholfen. Er studierte an derselben Uni wie ich. Ich selbst ging damals kaum mehr in eine Vorlesung.

»Keine Ursache«, antwortete er. »Hast du inzwischen eine Wohnung gefunden?«

»Nicht dass ich wüsste«, sagte ich und lachte.

»Hab ich mir's doch gedacht.«

»Willst du nicht reinkommen und was trinken?«

»Danke, ich hab's eilig. Muss was erledigen«, sagte er fröhlich. »Eigentlich wollte ich dir nur was ausrichten: Ich hab mit meiner Mutter gesprochen. Willst du nicht für einige Zeit zu uns kommen?«

»Zu euch?«, sagte ich.

»Ja, schau doch auf jeden Fall heute Abend um sieben mal vorbei. Hier hab ich dir den Weg aufgezeichnet.«

»Oh«, sagte ich etwas verwirrt, als ich den Zettel entgegennahm.

»Meine Mutter und ich freuen uns sehr, wenn du kommst, Mikage.«

Er lachte. Und da sein Lachen so fröhlich war, wirkten seine Augen an der mir so vertrauten Tür plötzlich wahnsinnig nah; ich konnte meinen Blick gar nicht mehr von ihnen abwenden. Vielleicht war es aber auch, weil er mich bei meinem Vornamen genannt hatte.

»Also gut, ich komme vorbei.«

Ehrlich gesagt war es ziemlich verrückt, was ich da tat. Aber da er so richtig »cool« gewirkt hatte, vertraute ich ihm. Es war eigentlich immer so: Wenn ich mich spontan zu einer Verrücktheit entschlossen hatte, tat sich in dem Dunkel vor meinen Augen mit einem Mal ein Weg auf, der in helles Licht getaucht war und absolut sicher schien. Deswegen hatte ich wohl zugesagt.

Yūichi sagte: »Tja, also bis später« und ging fröhlich lachend weg.

Bis zur Beerdigung meiner Großmutter hatte ich Yūichi Tanabe nur flüchtig gekannt. Als er am Tag des Begräbnisses plötzlich erschienen war, dachte ich einen Moment lang ernsthaft, er sei Großmutters Geliebter gewesen. Nachdem er nämlich etwas Räucherwerk geopfert hatte und, seinen Blick auf Großmutters Bild gerichtet, die zitternden Hände faltete, liefen ihm richtige Tränenbäche über die Wangen.

Da musste ich unvermittelt denken, ob seine Liebe zu Großmutter nicht etwa stärker war als meine. So traurig erschien er mir.

Und dann sagte er, ein Taschentuch vors Gesicht gepresst:

»Lass mich bitte wissen, wenn ich dir irgendwie behilflich sein kann.«

Und weil er das gesagt hatte, ließ ich mir in allen möglichen Dingen von ihm helfen.

Yūichi Tanabe.

Erst nach längerem Nachdenken war mir eingefallen, dass ich seinen Namen von Großmutter schon einmal gehört hatte. Das zeigte, wie durcheinander ich damals war.

Er war der junge Mann, der in dem Laden jobbte, wo Großmutter immer ihre Blumen kaufte. Was für ein reizender Junge er ist, stell dir vor, auch heute hat er wieder... so oder ähnlich hatte sie des Öfteren von ihm geschwärmt. Sie, die Blumen über alles liebte und nie vergaß, auch in der Küche welche aufzustellen, war ein- bis zweimal in der Woche zu diesem Laden gegangen. Und ja, einmal war Yūichi sogar zu uns nach Hause gekommen, er hatte Großmutter begleitet, mit einem großen Blumentopf in der Hand.

Yūichi war ein großer, schlanker Junge mit einem schön geformten Gesicht. Über seine Familie wusste ich so gut wie nichts, aber ich hatte den Eindruck, als ginge er ganz in seiner Arbeit im Blumenladen auf. Doch auch nachdem ich ihn etwas näher kennengelernt hatte, veränderte sich nichts an dem seltsam kühlen Eindruck, den er auf mich machte. Wie sanft er sich auch bewegte und sprach, man hatte immer das Gefühl, als lebe er ganz für sich allein. Unsere Bekanntschaft war immer ziemlich oberflächlich geblieben, und so war er für mich letztlich ein Fremder.

Am Abend begann es zu regnen. Die Wegbeschreibung in der Hand, trat ich in die Frühlingsnacht hinaus, deren sanfter, warmer Regen die Stadt wie in Rauch einhüllte.

Die Wohnung der Tanabes lag von meinem Haus aus genau auf der anderen Seite des Stadtparks. Während ich den Park durchquerte, war mir, als schnürte mir der Geruch des nächtlichen Grüns den Atem ab. Pitsch, patsch lief ich an den regenbogenfarbenen Lichtern vorbei, die sich in dem nassen Weg spiegelten.

Ehrlich gesagt ging ich zu den Tanabes eigentlich nur, weil sie mich gerufen hatten. Mehr hatte ich mir dabei nicht gedacht.

Als das Gebäude vor mir auftauchte, in dessen zehnter Etage ihre Wohnung war, bemerkte ich, wie wahnsinnig hoch es war. Dort oben, dachte ich mir, musste man einen herrlichen Blick auf die nächtliche Stadt haben.

Im zehnten Stock angekommen, trat ich aus dem Aufzug. Langsam, das Geräusch meiner Schritte unterdrückend, ging ich den Gang entlang. Ich drückte auf die Klingel, und sogleich öffnete sich die Tür. Yūichi erschien.

»Hallo«, sagte er.

»Hallo«, sagte auch ich, und in der Wohnung fiel mir sofort auf, wie seltsam sie eingerichtet war.

Als Erstes fiel mein Blick auf ein riesengroßes Sofa mitten im Wohnzimmer, an das sich weiter hinten die Küche anschloss. Es stand da, mit dem Rücken zum Geschirrschrank der geräumigen Küche, ohne Tisch und ohne Teppich. Es war ein prächtiges Sofa mit beigem Bezug, ein Sofa, wie man es manchmal in der Fernsehwerbung sieht, die ganze Familie darauf versammelt, wie sie gerade in die Röhre guckt, daneben ein Hund, der für Japan viel zu groß ist.

Vor dem großen Fenster, durch das man auf die Veranda sah, standen dschungelartig zahllose Zimmerpflanzen in Töpfen und Kästen, und wie sich bei einem kurzen Blick durch die Wohnung zeigte, gab es auch jede Menge Schnittblumen, überall, in allen möglichen Vasen, Blumen, wie sie zu dieser Jahreszeit blühten.

»Meine Mutter wird von ihrer Arbeit auf einen Sprung rüberkommen«, sagte Yūichi, während er heißes Wasser in die Teekanne goss. »Du kannst dir inzwischen die Wohnung ansehen, wenn du willst. Oder soll ich sie dir zeigen? Mal sehen, wie du sie beurteilst.«

»Wie ich was beurteile?«, fragte ich, auf dem herrlich weichen Sofa sitzend.

»Den Geschmack der Leute, die diese Wohnung eingerichtet haben. Man sagt doch: Ein Blick in die Toilette, und du weißt alles.«

Er war ein Mensch, der laut loslachen konnte und dennoch ruhig sprach.

»Ich will die Küche sehen«, sagte ich.

»Die Küche ist hier. Schau sie dir in Ruhe an.«

Während er noch immer mit dem Aufgießen des Tees beschäftigt war, ging ich an ihm vorbei und ließ meinen Blick durch die Küche wandern.

Die Fußmatte auf dem Parkettboden war sehr geschmackvoll, die Küchenschlappen, in denen Yūichi Füße steckten, von bester Qualität – und alle wichtigen Utensilien waren da, ordentlich aufgereiht hingen sie an der Wand. Es gab auch eine Bratpfanne Marke Silverstone und ein Schälmesser made in Germany. Wie sehr hätte sich Großmutter, ungeschickt wie sie war, über ein so praktisches Messer gefreut.

Von einer kleinen Neonröhre beleuchtet, stand das Geschirr still da und wartete darauf, verwendet zu werden; die Gläser funkelten. Auch wenn auf den ersten Blick alles ein klein wenig bunt zusammengewürfelt erschien, so war doch alles von auserlesener Qualität. Es gab sogar recht ausgefallenes Geschirr… zum Beispiel Schüsseln für spezielle Reisgerichte, feuerfeste Teller für Gratins, gewaltige Anrichteplatten, Bierkrüge mit Deckel. Irgendwie fand ich das toll. Auch der kleine Kühlschrank, den ich aufmachen durfte, befand sich in bestem Zustand; nichts war darin, was nicht hineingehörte.

Immer wieder musste ich anerkennend nicken, während ich um mich sah. Es war eine gute Küche. Ich war verliebt auf den ersten Blick.

Als ich wieder auf dem Sofa saß, war der Tee fertig.

Da saß ich nun in einer fremden Wohnung einem fast unbekannten Menschen gegenüber und fühlte mich ganz verlassen.

In der großen Fensterscheibe, auf der eben noch das Bild der regennassen nächtlichen Stadt erschienen war, erblickte ich plötzlich mein Spiegelbild.

Auf dieser Welt gab es niemand mehr, der mir durch die Bande des Blutes verbunden war, ich konnte gehen, wohin ich wollte, tun, was mir beliebte. Ein ungeheures Gefühl.

Zum ersten Mal in meinem Leben machte ich mit meinen eigenen Händen und Augen die Erfahrung, wie groß die Welt und wie tief ihre Dunkelheit ist, erlebte ich, von welch unendlicher Faszination, aber auch grenzenloser Einsamkeit sie ist.

»Sag mal, warum sollte ich eigentlich bei euch vorbeikommen?«, fragte ich Yūichi.

»Wir dachten, du hast es jetzt nicht gerade leicht«, antwortete er und kniff freundlich die Augen zusammen. »Deine Großmutter war immer so nett zu mir, und wie du siehst, haben wir hier in der Wohnung viel Platz. Du musst doch aus deiner jetzigen Wohnung raus. Wann ist es denn so weit?«

»Eigentlich schon jetzt. Der Besitzer hat sich aber bereit erklärt, mir noch etwas Zeit für den Umzug zu geben.«

»Ja, weißt du, und da hab ich mir überlegt, du könntest doch hier wohnen«, fuhr Yūichi fort, als sei das das Selbstverständlichste von der Welt.

Er benahm sich weder besonders kühl noch herzlich, aber irgendwie strahlte er eine wohlige Wärme auf mich aus. Etwas daran ging mir derart nahe, dass ich am liebsten losgeheult hätte. In diesem Augenblick ging das Türschloss. Die Tür öffnete sich, und herein trat eine unglaublich hübsche Frau, die ziemlich außer Atem schien.

Ich war so baff, dass ich die Augen weit aufriss.

Die Frau war nicht mehr ganz jung, aber von einer umwerfenden Schönheit. An ihrer etwas extravaganten Kleidung und dem zu stark aufgetragenen Make-up erkannte ich sofort, dass sie im Nachtgewerbe tätig war.

»Das ist Mikage Sakurai«, stellte mich Yūichi vor.

Noch immer etwas außer Atem, sagte sie lächelnd und mit leicht heiserer Stimme: »Freut mich. Ich bin Yūichis Mutter. Ich heiße Eriko.«

Das war seine Mutter? Ich war noch immer ganz fasziniert, und es gelang mir nicht, meinen Blick von ihr abzuwenden. Ihr schulterlanges, glattes Haar, das intensive Leuchten in den länglichen, schmalen Augen, die schön geformten Lippen, der hohe Nasenrücken – und dann diese von ihrer ganzen Gestalt ausgehende Ausstrahlung einer vibrierenden Lebenskraft –, es war, als wäre sie kein menschliches Wesen. Nein, einen solchen Menschen hatte ich noch nie gesehen.

Noch immer starrte ich sie an. Es musste bereits ganz unhöflich wirken. Schließlich brachte ich ein »Freut mich sehr« heraus, und mit Mühe gelang es mir, auch ihr Lächeln zu erwidern.

»Ab morgen wohnen wir also zusammen hier«, sagte sie sanft, bevor sie sich aufgeregt sogleich wieder Yūichi zuwandte. »Entschuldige, aber ich konnte einfach nicht weg. Hab dann aber gesagt, ich müsse mal kurz zur Toilette, und auf diese Weise hab ich mich aus dem Staub gemacht. Morgen früh hab ich dann mehr Zeit, sag Mikage bitte, sie soll hier übernachten, ja?« Im nächsten Augenblick stürmte sie wieder zur Tür, ihr rotes Kleid wehte richtig hinter ihr her.

»Warte doch, ich fahr dich mit dem Wagen rüber«, rief Yūichi ihr nach.

»Tut mir leid, dass Sie eigens wegen mir gekommen sind«, sagte nun auch ich.

»Ach was. Ich hätte allerdings wissen müssen, dass das Lokal um diese Zeit immer so voll ist. Eigentlich müsste ich mich entschuldigen. Also dann, bis morgen früh.«

Mit diesen Worten stöckelte sie in ihren hohen Pumps zur Tür hinaus. Yūichi lachte mir zu und meinte: »Du kannst ja fernsehen, bis ich wieder da bin«, bevor er seiner Mutter nacheilte und ich schließlich allein dasaß.

Bei genauerem Hinsehen waren mir doch die kleinen Fältchen aufgefallen, die in diesem Alter durchaus normal sind, und auch ihre Zähne waren nicht ganz regelmäßig. Sie hatte also durchaus etwas Menschliches an sich. Dennoch war ich immer noch wie weggetreten. Ich hätte sie am liebsten gleich noch einmal angesehen. Der warme, helle

Glanz, der von ihr ausging… jetzt endlich glaubte ich zu wissen, was mit dem Wort »faszinierend« gemeint ist. Ganz plastisch stand mir das Wort vor Augen. So musste es der blinden und gehörlosen Helen Keller ergangen sein, als sie zum ersten Mal begriff, was das Wort »Wasser« bedeutet. Ohne zu übertreiben: Es war eine Begegnung, die mich in höchstes Staunen versetzte.

Das Klappern von Autoschlüsseln. Yūichi war zurückgekommen.

»Wenn sie sowieso nur zehn Minuten Zeit hatte«, sagte er, während er die Schuhe auszog, »hätte sie auch gleich anrufen können. Finde ich jedenfalls.«

»Hmm«, meinte ich von meinem Platz auf dem Sofa aus.

»Was ist los mit dir, Mikage? Meine Mutter hat dich wohl ziemlich beeindruckt.«

»Klar, so schön wie die ist!«, gab ich ehrlich zu.

»Ist ja auch kein Wunder«, sagte Yūichi lachend und hockte sich vor mich. »Sie hat sich operieren lassen.«

»Operieren lassen?« Ich versuchte, mir mein Erstaunen nicht anmerken zu lassen. »Ich hab mir schon Gedanken darüber gemacht, dass ihr beide euch ja überhaupt nicht ähnlich seht.«

»Ist dir nicht noch etwas anderes aufgefallen?«,

fuhr Yūichi fort und konnte nur mit Mühe ein Lachen unterdrücken. »Eriko ist ein Mann.«

Diesmal gelang es mir nicht, die Coole zu spielen. Sprachlos, mit aufgerissenen Augen, starrte ich ihn an. Ich muss ausgesehen haben, als wartete ich nur darauf, dass er mir sagte: Stimmt ja gar nicht, war alles nur ein Scherz! Die schmalen Finger, die feine Gestik, die Eleganz ihrer Bewegungen. Ich hatte noch immer dieses wunderschöne Wesen vor Augen, und so saß ich mit angehaltenem Atem da und wartete. Yūichi aber sah mich nur an und grinste.

»Hör mal« – es gelang mir endlich, den Mund aufzumachen –, »hast du vorher nicht gesagt, es sei deine Mutter?«

»Klar«, antwortete er ruhig, »oder würdest du jemand wie sie als Vater bezeichnen?« Damit hatte er natürlich recht. Es war eine absolut überzeugende Antwort.

»Und der Name? Eriko?«

»Der ist natürlich erfunden. In Wirklichkeit heißt sie Yūji.«

Mir war ganz schwummrig zumute. Schließlich fasste ich mich aber wieder und fragte:

»Tja, und wer hat dich dann geboren?«

»Eriko war, wie gesagt, früher ein Mann«, erklärte Yūichi. »Zumindest in ihren jungen Jahren.

Dieser junge Mann hat geheiratet. Und die Frau, die er geheiratet hat, das war meine wirkliche Mutter.«

»Und diese wirkliche Mutter ...«, sagte ich noch immer etwas ratlos, »was war das für eine Frau?«

»Weiß ich nicht. Sie starb, als ich noch ein kleines Kind war. Ich hab ein Foto. Willst du's sehen?«

»Klar«, sagte ich und nickte.

Ohne aufzustehen, zog Yūichi seine Tasche heran und hole ein Portemonnaie heraus. Diesem entnahm er ein verknittertes Foto und reichte es mir. Das Gesicht, das ich sah, war schwer zu beschreiben. Kurzes Haar, kleine Augen, eine ebenso kleine Nase. Eine Frau undefinierbaren Alters, die einen seltsamen Eindruck auf mich machte. Als ich noch immer schweigend dasaß, meinte Yūichi schließlich: »Sieht reichlich komisch aus, findest du nicht?«

Ich lachte verlegen.

»Eriko wurde als Kind aus irgendeinem Grund von der Familie meiner Mutter adoptiert. Die beiden Kinder sind zusammen aufgewachsen. Eriko hatte schon damals, als sie noch ein Mann war, ein schönes Gesicht, und alle Mädchen liefen dem hübschen Jungen nach. Aber der hat sich für die Frau mit dem komischen Gesicht entschieden.« Yūichi blickte lächelnd das Foto an. »Eriko war richtig vernarrt in die Frau. Zuletzt ist sie, da die Eltern gegen eine Heirat waren, mit ihr durchgebrannt.«

Ich nickte.

»Nachdem meine Mutter gestorben war, gab Eriko ihren Job auf. Ich war ja noch ganz klein, und da überlegte sie, was sie jetzt machen sollte. Sie beschloss, eine Frau zu werden. Sie dachte, es würde ihr eh nicht gelingen, sich noch einmal zu verlieben. Damals war sie noch ein ziemlich verschlossener Mensch. Und da sie halbe Sachen noch nie ausstehen konnte, ließ sie sich, angefangen beim Gesicht, alles operieren, was man operieren kann, und von dem Geld, das übrigblieb, kaufte sie ein Nachtlokal. So konnte sie mich großziehen. Als ›alleinerziehende Mutter‹, wie man das heute nennt«, sagte Yūichi und lachte.

»Eine irre Lebensgeschichte«, sagte ich.

»Nicht so voreilig, immerhin lebt sie ja noch!«

Ich wusste wirklich nicht, ob ich das alles glauben konnte, ob es da im Hintergrund nicht etwas gab, das mir bewusst verschwiegen wurde. Je mehr ich über die beiden erfuhr, um so phantastischer erschien mir alles.

Ihre Küche aber überzeugte mich. Außerdem war da etwas, was die beiden verband, auch wenn sie sich sonst so unähnlich waren: Wenn sie lachten, lag auf ihren Gesichtern ein geradezu überirdischer Glanz. Und das fand ich unheimlich gut.

Patricia Highsmith

Bekenntnisse einer ehrbaren Küchenschabe

Ich bin umgezogen. Mein Wohnsitz war das Hotel Duke an einer Ecke des Washington Square. Seit Generationen – und darunter verstehe ich mindestens zwei- bis dreihundert Generationen – hatte meine Familie dort ihren Wohnsitz. Aber mir reicht es. Das Hotel ist verkommen. Ich habe noch erlebt, wie meine Ururur- – gehen Sie zurück, so weit Sie wollen, jedenfalls lebte sie noch, als ich mich mit ihr unterhielt – von den guten alten Zeiten erzählte, als die Gäste in Pferdekutschen vorfuhren und Koffer hatten, die nach Leder rochen, Gäste, die ihr Frühstück im Bett einnahmen und für uns ein paar Krümel auf den Teppich fallen ließen. Nicht absichtlich selbstredend, denn auch wir wussten damals noch, wo unser Platz war, nämlich in den Badezimmerecken und unten in der Küche. Heutzutage können wir verhältnismäßig gefahrlos mitten über die Teppiche spazieren, weil die Gäste des Duke viel zu bekifft sind, um uns zu sehen, oder weil sie nicht die Energie aufbringen würden, uns totzutreten, wenn sie uns sähen – oder sie lachen bloß.

Vor dem Eingang des Duke spannt sich heute eine zerlumpte grüne Markise zur Bordsteinkante, so löcherig, dass sie niemandem Schutz vor dem Regen bieten könnte. Man geht vier Zementstufen hinauf in ein schäbiges Foyer mit Schummerbeleuchtung, das nach Haschisch und schalem Whisky riecht. Wahrscheinlich legen die derzeitigen Gäste keinen Wert darauf, ihre Mitbewohner zu erkennen. Im Foyer tritt man sich gegenseitig auf die Füße, so dass es ein Leichtes wäre, Bekanntschaften anzuknüpfen, aber meistens entstehen aus diesen Begegnungen nur unfreundliche Wortwechsel. Links vom Foyer liegt ein noch lichtärmeres Loch mit der Bezeichnung Dr. Toomuchs Dance Floor, für das man an der Tür zwei Dollar Eintritt zahlen muss. Asoziales Gelichter. Herrje.

Das Hotel hat sechs Stockwerke, und für gewöhnlich nehme ich den Aufzug oder den Lift, wie man es in letzter Zeit in Nachahmung der Engländer nennt. Warum soll ich die schmierigen Zementlüftungsschächte hinaufkriechen oder Stufe um Stufe erklimmen, wenn ich nur über den zentimeterbreiten Spalt zwischen Flur und Lift springen muss, um mich in die Ecke neben dem Liftboy und seiner Knopfleiste zu verdrücken? Jedes Stockwerk erkenne ich an seinem Geruch. Der fünfte Stock riecht seit über einem Jahr nach Desinfektionsmittel, weil dort eine Schießerei stattgefunden hat und vor dem Lift eine Menge Blut und andere Schweinereien zu sehen waren. Der zweite Stock kann mit einem abgetretenen Teppich aufwarten, und deshalb ist der Geruch dort staubig und leicht uringetränkt. Im dritten Stock stinkt es nach Sauerkraut (da der Boden gefliest ist, muss wohl jemandem ein Konservenglas aus der Hand gefallen sein) und so weiter. Wenn ich im dritten Stock aussteigen will und der Aufzug nicht anhält, dann fahre ich so lange weiter, bis es so weit ist.

Ich war im Hotel Duke, als 1970 die amerikanische Volkszählung veranstaltet wurde. Was für ein Schwachsinn. Alle bekamen ein Formular, und alle lachten sich tot. Die meisten Gäste haben vermutlich kein Zuhause, aber auf dem Formular wurde gefragt: »Wie viele Zimmer hat Ihr Haus?«, und: »Wie viele Badezimmer?«, oder: »Wie viele Kinder haben Sie?«, und so weiter. »Und wie alt ist Ihre Frau?« Die meisten denken, Küchenschaben könnten kein Englisch oder welche Sprache auch immer in der Nachbarschaft gängig ist. Sie denken, die einzige Sprache, die wir verstehen, wäre das plötzlich eingeschaltete Licht, das »Abhauen!« bedeutet. Wenn man so lange da ist wie wir, nämlich schon lange, lange vor der Ankunft der *Mayflower*, dann kriegt man mit, was die Leute reden. Und deshalb bekam ich eine Menge Kommentare über die Fragebögen zu hören, die sowieso von keinem der Penner im Duke ausgefüllt wurden. Es war eine amüsante Vorstellung, dass ich den Fragebogen ausfüllen würde – warum eigentlich nicht? Durch langjährig ererbtes Gewohnheitsrecht war ich mehr Hotelbewohner als die menschlichen Tiere. Ich bin eine Küchenschabe (allerdings kein heimlicher Franz Kafka), und ich weiß weder, wie alt meine Frau ist, noch wie viele Frauen ich habe. Letzte Woche waren es noch sieben, wenn man so will, aber wie viele mögen mittlerweile totgetreten worden sein? Und meine Kinder sind nicht zu zählen, eine Formulierung, mit der sich meine zweibeinigen Nachbarn auch schon gebrüstet haben, aber sollten sie partout auf einem direkten Vergleich bestehen (je mehr, desto besser, scheint ihre Devise zu sein), dann würde ich auf mich setzen, wenn Sie es wirklich wissen wollen. Ich erinnere mich, dass erst letzte Woche zwei meiner Frauen kurz vor der Niederkunft standen, beide im dritten, dem Sauerkrautstockwerk. Du lieber Himmel, ich war selbst in Eile, da auf der Jagd – ich gestehe es nicht ohne Beschämung – nach Essen, das ich gerochen hatte und in einer Entfernung von hundert Metern vermutete. Kartoffelchips mit Käsegeschmack, wie mir schien. Es passte mir nicht, meine Frauen so zwischen Tür und Angel abzufertigen, aber meine Bedürfnisse waren vielleicht so dringend wie die ihren, und wo wären sie oder eher unsere Rasse, wenn ich nicht darauf achten würde, bei Kräften zu bleiben? Im nächsten Moment sah ich eine dritte Ehefrau, zermalmt unter einem Cowboystiefel (die Hippies hier kleiden sich im Westernstil, auch wenn sie aus Brooklyn stammen), obwohl sie wenigstens nicht im Wochenbett war, sondern in die der meinen entgegengesetzten Richtung rannte. Gehab dich wohl! – Doch, ach, ich nehme an, dass sie mich gar nicht gesehen hat. Auch meine zwei Wöchnerinnen werde ich vielleicht nie wiedersehen, wenngleich mir ist, als hätte ich einige unserer Sprösslinge erblickt, bevor ich das Duke verließ. Wer weiß?

Wenn ich manche der Leute hier sehe, kann ich mir nur gratulieren, dass ich eine Küchenschabe bin. Ich bin auf jeden Fall gesünder als sie, und in bescheidenem Rahmen trage ich sogar zu einer sauberen Umwelt bei. Was mich zum Thema bringt. Früher gab es Abfälle in Form von Brotkrümeln, vereinzelten Kanapees, die von Zimmerpartys übrig waren. Die gegenwärtige Klientel des Hotel Duke isst nicht. Sie ernährt sich von Rauschgift und

Alkohol. Die guten alten Zeiten kenne ich nur aus den Erzählungen meiner Urururgroßmütter und -väter. Aber ich glaube ihnen. Sie sagten, man hätte beispielsweise in einen Schuh vor einer der Zimmertüren springen können und wäre um acht Uhr morgens von einem Hoteldiener zusammen mit dem Tablett ins Zimmer gebracht worden, wo einen dann ein Frühstück aus Croissantkrümeln erwartete. Auch die Tage des Schuhputzens sind vorbei, denn wenn heute jemand die Schuhe vor sein Zimmer stellte, dann würden sie nicht nur nicht geputzt, sondern gestohlen. Alles, was man sich heute von diesen haarigen Ungeheuern in ihren Wildlederfransenjacken und von ihren spindeldürren Freundinnen erhoffen kann, ist, dass sie alle Jubeljahre einmal ein Bad nehmen und einem ein paar Tropfen Wasser zum Trinken in der Wanne übriglassen. Aus einer Toilettenschüssel zu trinken ist gefährlich, und in meinem Alter will ich so ein Risiko nicht eingehen.

Aber ich wollte von meinem neuen Glück erzählen. Letzte Woche reichte es mir wirklich: Eine junge Ehefrau war vor meinen Augen durch einen unbedachten Schritt zertreten worden (ich weiß noch, dass sie sich an den Rand des Flurs gehalten hatte), und in einem Zimmer amüsierten sich unterbelichtete Junkies damit – ich übertreibe nicht –, ihr Essen vom Boden aufzulecken. Junge Männer und Frauen, splitterfasernackt, die so taten, als hätten sie aus irgendeinem idiotischen Grund keine Hände, und ihre Sandwiches wie Hunde zu fressen versuchten und über den ganzen Boden verstreuten und sich selbst in Salami, Gürkchen und Mayonnaise wälzten. Zu essen gab es dieses eine Mal genug, aber mir war es zu riskant, zwischen den Körpern umherzuflitzen. Gefährlicher als Füße. Aber überhaupt Sandwiches zu sehen zu bekommen – heutzutage eine Seltenheit. Es gibt kein Restaurant mehr, denn die Hälfte der Zimmer im Hotel Duke sind in sogenannte Apartments mit Kühlschränken und Herdplatten umgewandelt. Unter Lebensmitteln verstehen diese Leute in der Hauptsache Tomatensaft für ihre Bloody Marys. Keiner brät sich auch nur ein Spiegelei. Das wäre auch schwierig, da das Hotel den Gästen weder Pfannen noch Töpfe, Dosenöffner oder Besteck zur Verfügung stellt, weil alles umgehend geklaut würde. Und keiner dieser Geistesriesen käme auf den Gedanken, seinen Hintern zu heben und sich selbst einen Topf zu besorgen, um eine Suppe warm zu machen. Deshalb ist hier Schmalhans Küchenmeister, um es poetisch auszudrücken. Und das ist noch nicht das Schlimmste, was die »Serviceleistungen« betrifft. Die meisten Fenster sind undicht, die

Betten sehen aus wie ausgebeulte Hängematten, die Stühle sind wackelig, und die sogenannten Sessel, maximal einer pro Zimmer, sind Marterinstrumente, deren Federn sich in die Weichteile bohren. Die Waschbecken sind in der Regel verstopft, und die Wasserspülung der Toiletten geht entweder gar nicht oder pausenlos. Und die Diebstähle! Ich habe genug mit angesehen. Zimmermädchen geben den Generalschlüssel weiter, und schon verschafft sich ein Dieb Zutritt und verschwindet mit dem Kofferinhalt unter dem Arm, in den Taschen oder in einem Kissenbezug, der als Schmutzwäsche getarnt wird.

Wie auch immer, vergangene Woche war ich in einem vorübergehend leerstehenden Zimmer des Duke und versuchte, eine Brotkrume oder einen Tropfen Wasser aufzustöbern, als plötzlich ein schwarzer Hotelpage mit einem Koffer erschien, der nach *Leder* roch. Ihm folgte ein Herr, der nach Aftershave roch und selbstverständlich nach Tabak, wie das üblich ist. Er packte seine Sachen aus, legte Unterlagen auf den Schreibtisch, prüfte das warme Wasser und brummte dabei etwas vor sich hin, testete die Wasserspülung und die Dusche, die das ganze Badezimmer nass spritzte, und dann rief er die Rezeption an. Das meiste, was er sagte, konnte ich verstehen. Im Großen und Ganzen sagte er, für den Zimmerpreis dürfe man wohl erwarten, dass verschiedene Dinge besser funktionierten, und dass er gern ein anderes Zimmer hätte.

Ich lauerte in meiner Ecke, durstig, hungrig, aber voller Interesse und außerdem im Wissen, dass dieser Herr mich zertreten würde, wenn ich es wagen sollte, mich auf dem Teppich blicken zu lassen. Ich wäre dann nur ein weiterer Beschwerdepunkt auf seiner Liste gewesen. Die alte Fenstertür ging auf (es war ein windiger Tag), und die Papiere wurden über das ganze Zimmer verstreut. Er musste einen Stuhl unter die Klinke kippen, um das Fenster geschlossen zu halten, bevor er fluchend seine Papiere aufsammelte.

»*Washington Square*! – Henry James würde sich im Grabe umdrehen!«

Ich erinnere mich an seine Worte, weil er sich dabei an die Stirn schlug, als wollte er eine Mücke treffen.

Ein besäuselter Hotelpage in der abgetragenen dunkelblauen Livree des Etablissements erschien und machte sich ergebnislos am Fenster zu schaffen. Es zog fürchterlich, das Fenster klapperte ohrenbetäubend, und alles musste beschwert werden, sogar die Zigarettenschachtel, weil es sonst vom Tisch geweht worden wäre. Als der Page sich die Dusche ansah, wurde er von Kopf bis Fuß nass, worauf er sich mit dem Bescheid verabschiedete, er wolle den »Mechaniker« kommen lassen. Der Mechaniker im Hotel Duke ist ein Witz, den ich nicht weiter kommentieren will. Er ließ sich jedenfalls nicht blicken – wahrscheinlich, weil sich dem Gefasel des Pagen nichts Vernünftiges entnehmen ließ –, und der Herr nahm den Telefonhörer ab und sagte: »Können Sie mir bitte jemand möglichst Nüchternen schicken, der mir den Koffer hinunterträgt? ... Oh, behalten Sie das Geld, ich ziehe aus. Und rufen Sie mir bitte ein Taxi.«

In diesem Augenblick fasste ich meinen Entschluss. Während der Herr packte, verabschiedete ich mich im Geist von all meinen Ehefrauen, Brüdern, Schwestern, Cousins, Kindern, Enkeln und Urenkeln, und dann bestieg ich den wunderschönen Koffer, der nach Leder roch. Ich krabbelte in ein Fach im Kofferdeckel und machte es mir in einem Plastikfutteral gemütlich, das nach Rasierseife und Aftershave duftete und in dem mir nichts passieren konnte, wenn der Kofferdeckel geschlossen wurde.

Eine halbe Stunde später befand ich mich in einem wärmeren Zimmer mit einem dicken Teppich, der nicht nach Staub roch. Der Herr nimmt sein Frühstück morgens um halb acht im Bett ein. Im Flur kann ich mich von den Tabletts vor den Zimmern auf dem Boden bedienen – es gibt sogar Rühreireste und immer Brötchen mit Marmelade und Butter. Musste gestern um mein Leben rennen, als ein Kellner in weißer Jacke mich dreißig Meter den Flur entlang verfolgte und mit beiden Füßen zutrat, mich aber jedes Mal verfehlte. Noch bin ich rüstig, und das Leben im Hotel Duke war ein gutes Training!

Die Küche habe ich bereits lokalisiert, selbstverständlich per Lift. Viel zu essen in der Küche, aber der Nachteil ist, dass einmal in der Woche der Kammerjäger kommt. Habe vier potentielle Ehefrauen kennengelernt, allesamt ein bisschen schwächlich durch das wöchentliche Ausräuchern, aber entschlossen, in der Küche auf dem Posten zu bleiben. Ich wohne oben. Keine Konkurrenz und massenhaft Frühstückstabletts und ab und zu Mitternachtssnacks. Mag sein, dass ich mittlerweile zum alten Hagestolz tendiere, aber noch regt sich genug Leben in mir, wenn sich eine potentielle Ehefrau zeigt. Auf jeden Fall habe ich ein wesentlich besseres Los erwischt als die Zweibeiner im Hotel Duke, die ich Dinge habe essen sehen, die ich nicht in den Mund nehmen würde, im wörtlichen wie im übertragenen Sinn. Das machen sie, weil sie wetten. Wetten! Das ganze Leben ist ein Glücksspiel, oder? Warum da noch wetten?

Ian McEwan

Schokolade

Mein Vater war ein großer Mann. Ich war sein jüngstes Kind und sein einziger Sohn. Alle fürchteten sich vor ihm. Meine Mutter, meine vier Schwestern, sogar der Botschafter fürchtete sich vor meinem Vater. Wenn er die Stirn runzelte, brachte keiner mehr einen Ton heraus. Bei Tisch durfte man nur reden, wenn man vorher von meinem Vater angesprochen wurde. Jeden Abend, auch wenn ein Empfang bevorstand und meine Mutter angekleidet werden musste, hatten wir mit geradem Rücken stillzusitzen und meinem Vater beim Vorlesen zuzuhören.

Jeden Morgen stand er um sechs Uhr auf und ging ins Bad, um sich zu rasieren. Bevor er nicht fertig war, durfte niemand aufstehen. Als ich ein kleiner Junge war, stand ich immer als Nächster auf, hurtig, und ich ging ins Badezimmer, um ihn zu riechen. Verzeihen Sie, er hinterließ einen entsetzlichen Geruch, doch der wurde überdeckt vom Geruch der Rasierseife und seines Parfüms. Noch heute ist Eau de Cologne für mich der Geruch meines Vaters.

Ich war sein Liebling, ich war seine ganze Leidenschaft. Ich erinnere mich an einmal – vielleicht geschah es viele Male –, meine älteren Schwestern Eva und Maria waren vierzehn und fünfzehn. Es gab Abendessen, und sie flehten ihn an. Bitte, Papa. Bitte! Und zu allem sagte er nein! Sie durften nicht mit zu der Schulbesichtigung, weil dort Jungen sein würden. Es wurde ihnen nicht gestattet, Seidenstrümpfe zu tragen. Sie durften nachmittags nicht ins Theater gehen, es sei denn, ihre Mama ginge auch. Sie durften ihre Freundin nicht hierbehalten, weil sie einen schlechten Einfluss ausübe und nie die Kirche besuche. Dann stand mein Vater plötzlich laut lachend hinter meinem Stuhl, auf dem ich neben meiner Mutter saß. Er nahm mir das Lätzchen vom Schoß und stopfte es mir vorne ins Hemd. »Seht her!«, sagte er. »Hier ist das nächste Familienoberhaupt. Vergesst nicht, euch mit Robert gut zu stellen!« Dann ließ er mich die Debatte schlichten, und die ganze Zeit lag seine Hand hier auf mir und quetschte mir mit den Fingern das Genick. Mein Vater sagte dann: »Robert, dürfen die Mädchen Seidenstrümpfe anziehen, so wie ihre Mutter?« Und ich, zehn Jahre alt, sagte dann sehr laut: »Nein, Papa.« – »Dürfen sie ohne ihre Mama ins

Theater gehen?« – »Auf keinen Fall, Papa.« – »Robert, dürfen sie ihre Freundin hierbehalten?« – »Niemals, Papa!«

Ich antwortete stolz, ohne zu wissen, dass ich benutzt wurde. Dies geschah vielleicht nur einmal. Für mich könnte es jeder Abend meiner Kindheit gewesen sein. Dann ging mein Vater zu seinem Stuhl am Kopfende des Tisches zurück und tat so, als sei er sehr traurig. »Es tut mir leid, Eva, Maria, ich wollte es mir gerade anders überlegen, aber jetzt sagt Robert, dass diese Dinge nicht sein dürfen.« Und er lachte, und ich lachte dann auch, ich glaubte alles, jedes Wort. Ich lachte, bis mir meine Mutter die Hand auf die Schulter legte und sagte: »Pst jetzt, Robert.«

Also! Hassten mich meine Schwestern? Von dem, was jetzt kommt, weiß ich, dass es nur einmal geschah. Es war Wochenende, und das Haus war für den ganzen Nachmittag leer. Ich ging mit eben den beiden Schwestern, Eva und Maria, ins Schlafzimmer unserer Eltern. Ich setzte mich aufs Bett, und sie gingen an den Schminktisch meiner Mutter und kramten all ihre Sachen heraus. Zuerst lackierten sie sich die Fingernägel und wedelten sie in der Luft trocken. Sie taten sich Cremes und Puder aufs Gesicht, sie benutzten Lippenstift, sie zupften sich die Augenbrauen und tuschten sich die

Wimpern. Sie befahlen mir, die Augen zuzumachen, während sie ihre weißen Socken abstreiften und Seidenstrümpfe aus der Schublade meiner Mutter anzogen. Dann standen sie da, zwei wunderschöne Frauen, und musterten einander. Und eine Stunde lang liefen sie im Haus herum, blickten über die Schulter in Spiegel oder Fensterscheiben, drehten sich in der Mitte des Salons im Kreis oder saßen sehr achtsam auf der Kante des Armsessels und ordneten ihre Haare. Ich folgte ihnen überallhin und schaute sie die ganze Zeit an, schaute sie einfach nur an. »Sind wir nicht schön, Robert?«, sagten sie dann. Sie wussten, ich war schockiert, weil dies nicht meine Schwestern waren, dies waren amerikanische Filmstars. Sie waren von sich selbst hingerissen. Sie lachten und küssten einander, denn jetzt waren sie richtige Frauen.

Später am Nachmittag gingen sie ins Badezimmer und wuschen sich alles ab. Im Schlafzimmer räumten sie all die Töpfe und Tiegel weg und öffneten die Fenster, damit Mama ihr eigenes Parfüm nicht riechen würde. Sie falteten die Seidenstrümpfe und Strumpfhaltergürtel genauso zusammen, wie sie es bei ihr gesehen hatten. Sie schlossen die Fenster, und wir gingen hinunter, um darauf zu warten, dass unsere Mutter nach Hause kam, und ich war die ganze Zeit ganz aufgeregt. Plötzlich waren aus den schönen Frauen wieder meine Schwestern geworden, große Schulmädchen.

Dann kam das Abendessen, und ich war noch immer aufgeregt. Meine Schwestern benahmen sich so, als sei nichts gewesen. Ich merkte, dass mein Vater mich fixierte. Ich blickte auf, und er sah mir geradewegs durch die Augen hindurch in mein Innerstes. Er legte sehr langsam Messer und Gabel beiseite, kaute und schluckte, was er im Munde hatte, und sagte: »Erzähl mir mal, Robert, was habt ihr heute Nachmittag gemacht?« Ich glaubte, er wisse alles, so wie Gott. Er stellte mich auf die Probe, um herauszufinden, ob ich ehrenwert genug sei, die Wahrheit zu sagen. Lügen war also zwecklos. Ich erzählte ihm alles, vom Lippenstift, den Pudern, den Cremes und den Parfüms, den Seidenstrümpfen aus der Schublade meiner Mutter, und ich erzählte ihm – als würde dies alles entschuldigen –, wie sorgfältig diese Dinge aufgeräumt worden waren. Ich erwähnte sogar das Fenster. Zuerst lachten meine Schwestern und leugneten, was ich sagte. Doch als ich immer weiterredete, verstummten sie. Als ich fertig war, sagte mein Vater nur: »Danke schön, Robert«, und aß weiter. Für den Rest der Mahlzeit sprach keiner mehr. Ich wagte nicht, in die Richtung meiner Schwestern zu blicken.

Nach dem Abendessen und kurz vor meiner

Schlafengehenszeit wurde ich in das Arbeitszimmer meines Vaters gerufen. Dies war ein Ort, wo niemand hindurfte, hier lagen alle Staatsgeheimnisse. Es war der größte Raum im Haus, denn mein Vater empfing hier manchmal andere Diplomaten. Die Fenster und die dunkelroten Samtvorhänge reichten bis zur Decke hoch, und die Decke trug Blattgold und große kreisrunde Muster. Es gab einen Kronleuchter. Überall standen Bücher in Glasschränken, und der Fußboden lag voll mit Teppichen aus aller Welt. Mein Vater war Teppichsammler.

Er saß hinter seinem gewaltigen Schreibtisch, der mit Papieren übersät war, und meine beiden Schwestern standen vor ihm. Er ließ mich auf der anderen Seite des Raumes in einem großen Ledersessel Platz nehmen, der einmal meinem Großvater gehört hatte, der ebenfalls Diplomat gewesen war. Keiner sprach. Es war wie in einem Stummfilm. Mein Vater holte einen Ledergurt aus einer Schublade und schlug meine Schwestern – drei sehr harte Hiebe auf das Hinterteil –, und Eva und Maria gaben keinen Mucks von sich. Plötzlich war ich draußen vor dem Arbeitszimmer. Die Tür war zu. Meine Schwestern waren auf ihre Zimmer gegangen, um zu heulen, ich ging die Treppe zu meinem eigenen Schlafzimmer hinauf, und das war das Ende. Mein Vater erwähnte diese Sache nie wieder.

Meine Schwestern! Sie hassten mich. Sie mussten Rache üben. Ich glaube, sie sprachen wochenlang von nichts anderem. Auch das Folgende geschah, als das Haus leer war, keine Eltern, keine Köchin, einen Monat nachdem meine Schwestern geschlagen worden waren, vielleicht sogar noch später. Zuerst muss ich Ihnen noch erzählen, dass ich viele Dinge nicht durfte, obwohl ich der Liebling war. Vor allem durfte ich nichts Süßes essen oder trinken, keine Schokolade, keine Limonade. Mein Großvater verbot meinem Vater alles Süße, bis auf Obst. Das schade dem Magen. Vor allem aber schadeten Süßigkeiten, besonders Schokolade, den Jungen. Süßes mache sie so charakterschwach wie Mädchen. Vielleicht war daran etwas Wahres, das kann nur die Wissenschaft entscheiden. Mein Vater sorgte sich zudem um meine Zähne, er wollte, dass ich solche Zähne bekam wie er, vollkommen. Außer Haus aß ich die Süßigkeiten von anderen Jungen, doch daheim gab es keine.

Also, an diesem Tag kam Alice, die jüngste Schwester, zu mir in den Garten und sagte: »Robert, Robert, komm schnell in die Küche. Da gibt's ein Festessen für dich. Eva und Maria haben ein Festessen für dich!« Zuerst ging ich nicht, weil ich glaubte, es könnte ein Trick sein. Doch Alice sagte immer wieder: »Komm schnell, Robert!«, und schließlich ging ich, und in der Küche, da waren Eva und Maria und Lisa, meine andere Schwester. Und auf dem Tisch, da standen zwei große Flaschen Limonade, eine Sahnetorte, zwei Tafeln Kochschokolade und eine große Schachtel Marshmallows. Maria sagte: »Das ist alles für dich«, und ich war sofort misstrauisch und sagte: »Warum?« Eva sagte: »Wir möchten, dass du in Zukunft netter zu uns bist. Wenn du das alles aufgegessen hast, wirst du daran denken, wie lieb wir zu dir sind.« Das klang einleuchtend, und die Sachen sahen so lecker aus, also setzte ich mich hin und griff nach der Limonade. Doch Maria hielt meine Hand fest. »Zuerst«, sagte sie, »musst du eine Medizin einnehmen.« – »Warum?« – »Du weißt doch, dass Süßigkeiten deinem Magen schaden. Wenn du krank bist, wird Papa wissen, was du gemacht hast, und dann sitzen wir alle in der Patsche. Diese Medizin wird alles in Ordnung bringen.« Also öffnete ich den Mund, und Maria schob mir vier große Löffel voll mit etwas Öligem hinein. Es schmeckte scheußlich, aber das machte mir nichts aus, denn ich begann sofort, die Kochschokolade und die Sahnetorte zu essen und die Limonade zu trinken.

Meine Schwestern standen um den Tisch und sahen mir zu. »Schmeckt es dir?«, sagten sie, aber ich aß so schnell, dass ich kaum reden konnte. Ich dachte, sie seien vielleicht deshalb so gut zu mir, weil sie wussten, dass ich eines Tages Großvaters Haus erben würde. Nachdem ich die erste Flasche Limonade ausgetrunken hatte, nahm Eva die zweite vom Tisch und sagte: »Ich glaube nicht, dass er die auch noch trinken kann. Ich werde sie wegstellen.« Und Maria sagte: »Ja, stell sie nur weg. Bloß ein Mann könnte zwei Flaschen Limonade austrinken.« Ich schnappte ihr die Flasche weg und sagte: »Natürlich kann ich sie austrinken«, und die Mädchen sagten alle zusammen: »Robert! Das ist unmöglich!« Also ließ ich von der Limonade natürlich nichts übrig und auch nichts von den beiden Tafeln Kochschokolade, von den Marshmallows und von der ganzen Sahnetorte, und meine vier Schwestern klatschten im Takt in die Hände. »Bravo Robert!«

Ich versuchte zu stehen. Die Küche fing an, sich um mich zu drehen, und ich musste ganz dringend auf die Toilette. Aber plötzlich schlugen mich Eva und Maria zu Boden und hielten mich fest. Ich war zu schwach, um mich zu wehren, und sie waren viel größer. Sie hielten ein langes Seilende bereit und fesselten mir die Hände auf den Rücken. Alice und Lisa hopsten die ganze Zeit herum und sangen: »Bravo Robert!« Dann zerrten mich Eva und Maria auf die Beine und stießen mich aus der Küche, über die große Diele und in das Arbeitszimmer meines Vaters. Sie zogen den Schlüssel innen ab, schlugen die Tür zu und verschlossen sie. »Tschüs Robert«, riefen sie durchs Schlüsselloch. »Jetzt bist du der große Papa in seinem Arbeitszimmer.«

Ich stand mitten in diesem gewaltigen Raum, unter dem Kronleuchter, und zuerst begriff ich nicht, wieso ich dort war, und dann verstand ich. Ich kämpfte mit den Knoten, aber sie saßen zu fest. Ich rief und trat gegen die Tür und bumste mit dem Kopf dagegen, doch das Haus schwieg. Auf der Suche nach einem Winkel rannte ich kreuz und quer durchs Zimmer, und in jeder Ecke waren teure Teppiche. Schließlich konnte ich nicht mehr anders. Die Limonade kam und wenig später, ganz flüssig, die Kochschokolade und die Torte. Ich trug kurze Hosen, so wie ein englischer Schuljunge. Und anstatt stehen zubleiben und nur einen Teppich zu ruinieren, rannte ich kreischend und heulend überallhin, so als wäre mir mein Vater bereits auf den Fersen.

Der Schlüssel drehte sich im Schloss, die Tür flog auf, und Eva und Maria kamen hereingestürmt. »Puh!«, riefen sie. »Schnell, schnell! Papa kommt.« Sie lösten das Seil, steckten den Schlüssel wieder von innen ins Schloss und liefen wie hysterische Frauen lachend davon. Ich hörte den Wagen meines Vaters in der Auffahrt halten.

Zuerst konnte ich mich nicht bewegen. Dann schob ich die Hand in meine Tasche und holte ein Taschentuch heraus, und ich ging zur Wand – ja, sogar an den Wänden war es, sogar auf seinem Schreibtisch –, und genauso tupfte ich einen alten Perserteppich ab. Dann sah ich meine Beine, sie waren beinahe schwarz. Das Taschentuch nutzte nichts, es war zu klein. Ich lief zum Schreibtisch und nahm mir irgendein Papier, und so fand mich mein Vater, wie ich mir mit Staatsangelegenheiten die Knie abputzte, und hinter mir glich der Fußboden seines Arbeitszimmers einem Bauernhof. Ich machte zwei Schritte auf ihn zu, fiel auf die Knie und erbrach mich fast über seinen Schuhen, erbrach lange Zeit. Als ich aufhörte, stand er noch immer in der Tür. Er hielt noch immer seinen Aktenkoffer, und sein Gesicht verriet nichts. Er warf einen Blick auf mein Erbrochenes und sagte: »Robert, hast du Schokolade gegessen!« Und ich sagte: »Ja, Papa, aber…« Und das genügte ihm. Später kam mich meine Mutter in meinem Schlafzimmer besuchen, und morgens kam ein Psychiater und erzählte etwas von einem Trauma. Doch meinem Vater genügte es, dass ich Schokolade gegessen hatte. Er schlug mich drei Tage lang jeden Abend und hatte viele Monate kein gutes Wort für mich. Das Arbeitszimmer durfte ich viele, viele Jahre lang nicht mehr betreten, erst wieder, als ich mit meiner zukünftigen Frau dort eintrat. Und bis zum heutigen Tag esse ich nie Schokolade, und meinen Schwestern habe ich nie verziehen.

Martin Suter

Das Schöne an der ›Rose‹

Die ›Rose‹ kommt in keinem Gourmet-Führer vor, dazu sitzt dem Koch der Aromatstreuer zu locker. Dennoch ist das Lokal ein beliebter Treffpunkt für Business-Lunchs. Es besitzt eine ansprechende Weinkarte, akzeptiert alle Kreditkarten und stellt auf Wunsch undetaillierte Rechnungen aus.

Für Roubaty gibt es noch einen wichtigeren Grund, sich in der ›Rose‹ wohl zu fühlen: Man kennt ihn und spricht ihn mit Namen an. Das ist nicht selbstverständlich. In der ›Rose‹ werden nur wichtige Leute mit Namen angesprochen oder solche, die sich dieses Privileg durch Treue, Regelmäßigkeit und hohe Trinkgelder verdient haben. Roubaty gehört eher zur zweiten Kategorie. Aber für den uneingeweihten Beobachter ist es nicht ersichtlich, ob ein Gast aus dem ersten oder zweiten Grund mit Namen angesprochen wird.

Roubaty braucht das ab und zu, dass er von Außenstehenden als wichtig betrachtet wird. Er ist zwar in der Branche kein Unbekannter, aber die Branche selbst (Organisationsberatung) fristet ein von der Öffentlichkeit weitgehend unbeachtetes Dasein. Sie wirkt weitgehend im Hintergrund, denn kein Unternehmen gibt gerne zu, dass es in Organisationsfragen auf externe Hilfe angewiesen ist.

Obwohl Roubaty nicht irgendein Organisationsberater ist, sondern der Inhaber der Organisationsberatungsfirma Roubaty & Partner mit über vierzig Mitarbeitern, reicht seine Bekanntheit nicht weit über die Branchengrenzen hinaus.

Dieses Prominenzmanko wird in der ›Rose‹ jeweils für anderthalb Stunden kompensiert. »Guten Tag, Herr Roubaty, der Aquariumtisch ist frei, Herr Roubaty, heute haben wir Pastetli, Herr Roubaty, zum Trinken wie immer, Herr Roubaty?«

Roubaty ist etwas früher dran als sonst. Er sitzt allein am Aquariumtisch, isst einen etwas schlappen grünen Salat und liest die Zeitung dazu.

Auf der andern Seite des Aquariums nehmen zwei Herren Platz. Roubaty registriert mit halbem Ohr, dass sie Filet de Perche bestellen. Er achtet nicht weiter auf das Gespräch, bis plötzlich der Name Roubaty fällt.

»Wir offerieren gegen Roubaty, aber ich bin optimistisch. Wir haben die günstigere Honorarpauschale.«

Roubaty zieht sich hinter die Zeitung zurück und spitzt die Ohren. Das muss jemand von Orgconsa sein, sein letzter Mitbewerber um den wohl wichtigsten Beratungsauftrag dieses Jahres.

»Wo liegt ihr in etwa?«, fragt die andere Stimme.

Roubaty sieht von weitem Erna, die dienstälteste und lauteste Serviertochter, mit einem Tablett auf ihn zukommen.

»Aber du behältst es für dich.«

Erna kommt näher. Gleich wird sie sagen: »Ihr Rehschnitzel, Herr ROUBATY!«

»Wir haben wirklich knapp kalkuliert und kommen…«

Roubaty weiß sich nicht anders zu helfen, als Erna wie ein Polizist die flache Hand entgegenzustrecken. Stopp!

»…alles in allem auf eine Monatspauschale von…«

Erna stellt das Tablett drei Tische weiter ab und ruft durchs Lokal: »Ich bin gleich bei Ihnen, HERR ROUBATY!«

Loriot

Spaghetti

In einem gutbürgerlichen italienischen Restaurant sitzen sich ein Herr und eine Dame gegenüber. Sie essen die letzten Spaghetti von ihren Tellern.

ER Wissen Sie, Hildegard, dass wir uns jetzt fast ein Jahr kennen? *(betupft seinen Mund mit der Serviette)*

SIE Ja…

ER *(legt die Serviette zurück, ein Rest Spaghetti im Mundwinkel wird sichtbar)*…und dass wir heute schon zum zweiten Mal zusammen essen?

SIE Ich weiß…

ER Hildegard, ich möchte Ihnen heute etwas sagen…ich möchte Ihnen sagen, dass ich…

SIE *(sieht ihn starr an)*

ER …dass ich mehr als bloße Sympathie für Sie empfinde… mehr als Freundschaft… und ich…

SIE Sie haben…

ER Nein, sagen Sie noch nichts ... Hildegard, es gibt Augenblicke, wo die Sprache versagt, wo ein Blick mehr bedeutet als viele Worte ...

SIE Sie haben ...

ER ... vielleicht fühlen Sie, was ich meine ... Hildegard ...

SIE Sie haben da was am Mund ...

ER *(tastet mit der Serviette zum Mund)*

SIE Nein, auf der anderen Seite ...

ER *(entfernt den Spaghettirest mit der Serviette)* Ist es weg?

SIE Ja ...

ER *(Pause. Trinkt. Tupft mit der Serviette an den Mund. Der Spaghetti sitzt nun auf der Oberlippe)* ... Hildegard ...

SIE ... Ja ...

ER Sehen Sie mich an ...

SIE *(starrt auf den Spaghetti)*

ER Ich wollte schon so lange zu Ihnen sprechen ... ich habe nur auf den richtigen Augenblick gewartet ... jetzt ist er da! ... Hildegard ... warum sagen Sie denn nichts? ... geben Sie mir Ihre Hand ...

SIE *(gibt ihm die Hand. Beide Hände liegen ineinander auf dem Tisch)*

ER Wir sollten miteinander verreisen ... irgend

wohin … nur Sie und ich … *(zieht ihre Hand an sein Gesicht)* … und da möchte ich Sie immer nur anschauen … stundenlang … tagelang …

OBER Darf ich abräumen?

SIE Ja bitte …

OBER *(im Abräumen)* … Möchten Sie noch einen Nachtisch?

ER Einen Espresso, bitte …

OBER *(sieht starr auf den Spaghetti)*

ER *(ungeduldig)* Einen Espresso, bitte …

OBER Einen Espresso … und die Dame?

SIE Nein danke …

OBER *(mit Geschirr ab)*

ER Sie sollen jetzt noch gar nichts sagen, Hildegard … aber Sie fühlen es doch auch … dieses … gewisse …

SIE Ja …

ER Es ist vielleicht noch sehr zart … aber es kann größer werden, es kann wachsen … *(legt nachdenklich die Hand an den Mund)*

SIE *(sieht ihn starr an)*

ER Oft bedarf es nur einer Kleinigkeit, und alles sieht anders aus … mein Gott, Hildegard, warum sagen Sie denn nichts?

SIE *(sieht ihn starr an)* … Wie?

ER Haben Sie doch Vertrauen zu mir …

(bedeckt sein Gesicht mit der Hand) ... das Leben ist zu kurz, Hildegard ... die Jahre gehen dahin, und Glück ... Glück gibt es doch nur zu zweit ... *(nimmt die Hand herunter, der Spaghetti klebt an der Nasenwurzel)* ... gewiss, ich habe auch meine Fehler... *(greift sich an die Nase)* ...

SIE *(tonlos)* ... Ja ...

ER *(erhebt den Zeigefinger, an dem der Spaghetti nun klebt)* ... aber ich bin zuverlässig ... ich mache keine halben Sachen ... menschlich und beruflich ... *(streift mit dem Zeigefinger kurz die Nasenspitze)*

SIE *(starrt ihn an)*

ER *(der Spaghetti hängt an der Nasenspitze)* ... Warum übernehme ich denn in zwei Wo-Wochen die Einkaufsabteilung? ... Weil ich eine saubere Weste habe ... weil ich politisch in Ordnung bin ... weil ich alle Tricks kenne ... weil mir keiner was vormacht ... Hildegard ...!

SIE Ja ...

ER Bitte, sagen Sie jetzt nichts ... ich liebe Sie!

SIE *(starrt auf den Spaghetti)*

ER Habe ich Sie verletzt?

SIE Neinnein ...

ER ... Ja, aber dann sagen Sie doch was! Sagen

Sie mir ruhig, dass Ihnen meine Nase nicht passt... aber sagen Sie irgendwas!

OBER *(setzt eine Tasse vor ihn auf den Tisch)* ... Ein Espresso ...

ER Danke!

OBER *(ab)*

ER *(sieht auf den Tassenrand)* ... Herr Ober!

OBER Mein Herr?

ER An der Tasse ist Lippenstift!

OBER Oh ... *(verschwindet mit der Tasse)*

ER *(ruft hinterher)* ... Das können Sie Ihren Gästen in Neapel bieten ... hier kommen Sie damit nicht durch!

SIE Das kann doch mal vorkommen!

ER Das kann vorkommen, Hildegard, aber es *darf* nicht vorkommen!

OBER *(bringt neuen Espresso)* ... Bitte sehr ...

ER *(trinkt, sieht in die Tasse, hält ihr die Tasse hin)* Nun sehn Sie sich das an!

SIE *(sieht in die Tasse. Der Spaghetti schwimmt darin)*

ER Herr Ober!!

Hermann Harry Schmitz

Was mir an der Table d'hôte in der Sommerfrische passierte

Ich bin wirklich ein unglücklicher Mensch. Ich leide am Respekt vor anderen Leuten. Ich möchte so gerne imponieren und eine gute Figur abgeben. Ich weiß theoretisch genau, was ich zu tun habe, in der Praxis aber versage ich regelmäßig. Die geringste Kleinigkeit gibt mich der hilflosesten, täppischen Schüchternheit preis.

Gott, fürchte ich mich immer vor dem Augenblick, als Eingeladener, natürlich verspätet, den Empfangssalon, wo schon alle Gäste versammelt sind, zu betreten, oder den Speisesaal eines Hotels, wenn die gemeinsame Tafel schon begonnen hat, oder das Theater oder den Konzertsaal. Das Gefühl: jetzt passiert dir etwas Dummes, und du bist blamiert, hängt wie ein Damoklesschwert in solchen Augenblicken über mir.

Das Essen hatte schon begonnen, als ich zitternd den Speisesaal des Goldenen Bären zu M. im Schwarzwald zum ersten Mal betrat.

Ich war am Abend vorher spät angekommen. Ich hatte mich mit besonderer Sorgfalt angezogen, um mich bei der ersten *Table d'hôte* in günstiger Weise vorzuführen. Von meinen weißen Flanellhosen mit messerscheideartigen Bügelfalten erhoffte ich eine besondere Wirkung, einen vollen, durchschlagenden Erfolg.

Man war schon an der Suppe. Das Suppengeschlürfe verstummte plötzlich: alles schaute mir entgegen.

Ganz unten an der Tafel wies man mir einen Platz an.

Ich machte eine Verbeugung nach vorn: da saß ein Ehepaar mit einem vierjährigen Jungen in einer weißen Matrosenbluse. Nach links: gegen einen bärtigen teutschen Mann in Wollwäsche und mit einer Troddel am Hals heraus.

Als ich saß, ging das Suppengeschlürfe wieder munter weiter.

Ich schaute die Tafel hinauf. Oben am Kopfende saß breit ein dicker Herr mit einem roten Gesicht und einem goldenen Kneifer; der Kneifer war mit einem Kettchen an einem um das Ohr gelegten Haken befestigt. Auch hatte der Herr einen Schmiss über die Backe. Trotzdem war er nicht stolz und sprach jovial mit seinen Nachbarn, die sich sichtbar geehrt fühlten und häufig ›Herr Rat‹ sagten.

Dann fielen mir zwei magere Damen auf mit bescheidenen runden Haarknüzchen als Frisur hinten im Nacken und im Rücken abstehenden Korsetts. Die eine mit einer Elfenbeinbrosche: eine Hand mit einem Blumenstrauß. Die andere mit einer großen Kameenbrosche mit dem Bild der Königin Luise. Neben ihren Tellern standen Medizinflaschen und eine Schachtel mit Pillen. Über den Stuhllehnen hingen rote, gehäkelte Tücher mit Fransen, die von Zeit zu Zeit auf den Boden fielen. Ein junger Mensch mit Mitessern im Gesicht, der fortwährend um nichts errötete und vor lauter Angst entsetzliche Mengen Brötchen aß, saß neben ihnen.

Einige ältere Damen mit würdigem, silberweißem Haar und schwarzen Gardinchen auf dem Kopf guckten streng auf zwei Backfische in frisch gestärkten, abstehenden Kleidern, die fortgesetzt die Köpfe zusammensteckten und kicherten.

Schräg mir gegenüber, neben dem Ehepaar mit dem Jungen, saß eine dicke, gefährlich dicke Dame in einer seidenen Bluse mit Spitzeneinsatz, der man ansah, dass sie viel Geld gekostet hatte, am Halse ein großes, mit Brillanten besetztes Hufeisen. An den dicken Fingern und in den Ohren nochmals Brillanten.

Wer auf meiner Seite saß, konnte ich nicht sehen.

Es gab Suppe mit langen Fadennudeln. So lange Nudeln hatte ich noch nie gesehen. Die Dinger mit einer gewissen Grazie zu verschlingen ist immerhin nicht ganz leicht. Vom Löffel flutschten sie zurück in die Suppe oder auf das Tischtuch oder auf meine Rockaufschläge, viele blieben auch am Kinn und an den Backen hängen und bildeten einen wallenden Bart. Ich wurde nervös. Die Leute guckten schon. Der Junge mir gegenüber lachte laut und stopfte sich mit den Fingern die Nudeln klumpenweise in den Mund. Seine Mutter sagte, das sei ein echtes süddeutsches Gericht. Jetzt war mir ein Nudelwirrwarr auf den Boden gefallen, meine Füße verwickelten sich darin. Ich strampelte mit den Beinen, um mich aus der glitschigen Umschlingung zu befreien, trat dabei unter den Tisch, dass die Teller hochsprangen. Ich wurde immer nervöser. Jetzt hing mir eine lange Nudel am Mund heraus, ich sog, ich zog, sie hatte sich um einen Knopf geschlungen. Plötzlich sprang der Knopf ab, und das Ende der Nudel schnellte mir ins Auge.

Die Tränen schossen mir in die Augen. Ich hielt meine Serviette vor das Gesicht.

Von allen Seiten wurden Ratschläge gegeben, wie man etwas aus dem Auge machen müsse. »Schneuzen, stark schneuzen«, erklärte der Mann mit der Troddel kategorisch. »Nach der Nase zu reiben«, hieß es. »Überhaupt nicht reiben«, widersprach ein anderer. »Den Augendeckel aufheben«, riet wieder jemand.

Endlich hatte ich die heimtückische Nudel erwischt.

Dicke Schweißperlen standen mir auf der Stirn.

Am liebsten wäre ich aufgesprungen und aus dem Saal gelaufen. Mir war das furchtbar peinlich. Die Leute am Tisch lachten verstohlen. Einige fragten, ob es jetzt besser sei.

Plötzlich wandte sich der teutsche Mann mit markiger Stimme an mich: »Gedenken Sie länger hierzubleiben, mein junger Freund?«

Alles am Tisch beugte sich vor und schaute nach mir. Ich war noch immer mit den Füßen in die Nudeln verwickelt und suchte, mich unbemerkt zu befreien. Ich war zu verstört, um etwas zu sagen. Nervös machte ich Pillen aus Brot und bekam einen roten Kopf.

»Wohl nur Passant?«, fuhr der Wollmensch hartnäckig fort.

Jetzt hatte ich den linken Fuß frei. Die Nudeln hatten sich um das Stuhlbein geschlungen und hielten den rechten Fuß noch fest. Ich starrte, ganz von meinen Befreiungsversuchen unter dem Tisch in Anspruch genommen, vor mich hin und drehte mechanisch Brotpille auf Brotpille.

»Ein entzückendes Plätzchen hier droben« – mein Nachbar war ausdauernd.

Ich hatte nun auch den rechten Fuß frei und atmete befreit auf.

»Wie bitte«, wollte ich mich gerade an den teutschen Mann wenden, als der Junge mir gegenüber anfing, unruhig zu werden.

Auf dem Tisch stand ein Aufbau mit Essig, Öl, Pfeffer, Salz und Senf. In der Essigflasche schwamm eine tote Fliege. In Essigflaschen sind immer tote Fliegen, das muss so sein. Eine wenigstens bestimmt. Der Junge wollte die tote Fliege haben, er wollte sie absolut haben. Der Vater sagte, das ginge nicht, die Fliege gehöre dem Wirt. Erst als die Mutter ihm den Senftopf zum Spielen und ein Glas Rotwein zu trinken gab, war der Junge ruhig. Der Bub langweile sich, erklärte die Mutter.

Der Fisch wurde hereingebracht. Als die Reihe an mich kam, lagen auf der Schüssel nur noch einige Scheiben Zitronen und eine Flosse. Von gegenüber reichte man mir eine zweite Schüssel, auf welcher auch noch ein Kopf lag.

»Schmackhaft, äußerst schmackhaft«, schmatzte der teutsche Mann und schob sich ein großes Stück mit dem Messer in den Mund.

Ich sah einmal japanische Jongleure, die mit einer wunderbaren Geschicklichkeit mit Stäbchen und

Kugeln balancierten. Der Mann neben mir war ihnen bedeutend über. Es grenzte direkt ans Fabelhafte, mit welcher enormen Sicherheit er alles, aber auch alles mit dem Messer zum Munde führte. –

»Ich komme schon im zehnten Jahr hier herauf«, fing der bärtige Mann noch kauend wieder an, »zehn Jahre, mein junger Freund. – Böllerknüz, Böllerknüz ist mein Name!« Er legte sich gegen mich und prustete mir ein Stückchen Fisch an die Backe. Wohlerzogen verneigte ich mich: »Schmitz, Herr Schmitz.«

»Dann sind Se wohl aus Köllen«, rief die dicke Dame mit der teuren Bluse über den Tisch, »in Köllen heißen alle Leute Schmitz!« Sie wackelte wie eine gallertartige Masse vor Lachen auf ihrem Sitz über ihr glänzendes Bonmot. Auch die anderen Leute am Tisch lachten. Nur die Damen mit den Knüzchen und der Elfenbein- und Kameenbrosche lachten nicht. Sie hatten sich gerade Pillen in den Mund gesteckt und schluckten krampfhaft unter Vorschnucken des Kopfes.

»Doch nichts für unjut«, fuhr die seidene Bluse fort, »Spaß muss sein. Wir sind doch nicht umsonst die fidelen Rheinländer.«

»Ich bin nicht aus Köln, ich bin aus Düsseldorf«, klärte ich sie auf.

»Düsseldorf, das kenne ich auch, gewiss. Ich hab'

eine Tochter da verheiratet, Frau Neverding. Sie kennen sie sicher.«

Bedauernd verneinte ich wohlerzogen.

Das Gespräch wurde unterbrochen. Es wurden große Schüsseln mit seltsamen Dingen hereingebracht.

»Ah, Spätzli«, hieß es allgemein.

Man fing bei mir an. Ich hatte noch nie Spätzli gegessen, ich war zu bang, ich wollte mich nicht wieder blamieren, wie eben mit den Nudeln. Ich dankte.

»Oh, Sie nehmen keine Spätzli?«, klang es vorwurfsvoll von allen Seiten.

Der Junge mir gegenüber steckte den Serviettenring in den Senftopf und einen Finger tief in die Nase. Er mopste sich grenzenlos.

»Der Bub langweilt sich«, klagte die Mutter, »sonst ist er aber auch brav.«

Man brachte das Geflügel. Natürlich kam jetzt die Schüssel wieder zuletzt zu mir. Zwei Ellenbogenstücke und ein Bürzel lagen noch auf der Platte. Ich war zu schüchtern, der Servierfrau etwas zu sagen. Böllerknüz hatte mir die letzten beiden ansehnlichen Stücke vor der Nase weggenommen. Er arbeitete an einem Rumpfstück. Er war wütend, da er merkte, dass er hereingefallen war. Es war nur Knochen. Erregt stach er auf das Stück ein. Er glitschte aus, und der reichlich mit Sauce befeuchtete Rumpf einer guten Ente flog mir in den Schoß. Nicht genug damit, warf Böllerknüz im Eifer, das Stück Vogel zu schnappen, mein gefülltes Rotweinglas um, so dass meine Hose auch hiervon einen guten Genuss mitbekam.

Ich grinste und meinte taktvoll: »Oh, das tut nichts!«

Ein brauner, hässlicher Fleck als Insel in einem großen Rotweinmeer auf meiner feinen, weißen Hose.

Der Junge mir gegenüber lachte aus vollem Hals und schrie: »Ho, der komische Onkel.«

»Das sagt man nicht«, verwies ihn die Mutter.

»Der Bub ist vorlaut«, ergänzte der Vater.

»Ist mich mal in Luzern im Schweizerhof passiert. Ein Kleid von achthundert Mark vollständig verdorben«, sagte die Kölnerin.

Ich beteuerte fortgesetzt, dass das gar nichts mache. Man konnte fast meinen, es hätte mir nichts Erwünschteres passieren können.

Der Junge langweilte sich schon wieder. Er packte eine tote Eidechse und einen Flaschenkork aus der Tasche aus und spielte damit. Die Mutter sagte, der Bub langweile sich. Überhaupt sei so eine *Table d'hôte* eine Geduldsprobe für ein Kind.

Oben am Tisch stritt man sich über einen Weg.

Man könne ihn auch von der anderen Seite machen, da sei er lohnender, hörte ich die Pillendamen sagen. Der Blick sei herrlich lieb, wunderlieb entzückend. Die Backfische nahmen verstohlen Mandeln von einem Aufbau, der auf dem Tisch stand, und steckten sie ein.

Jetzt gab es Pudding. Gelatinepudding mit Waldbeerkompott. Der Junge schrie, er wolle ganz viel haben. Die Mutter packte ihm den Teller hoch voll. Wie es gekommen war, weiß ich nicht. Ich hatte vor mich hin gedöst und mit Entsetzen von Zeit zu Zeit einen Blick auf meine Hose geworfen. Ein Aufschrei! Der Teller des Jungen schlug plötzlich um, und eine Handvoll Waldbeerkompott flog in hohem Bogen über den Tisch und traf mich mitten in das Gesicht.

Nachgerade fing es nun doch an, mir ernstlich ungemütlich zu werden. Prustend sprang ich auf. Meine Augen waren verklebt mit Waldbeeren. Ich strebte tastend der Tür zu. Eine hinterlistige Nudel, die ich noch am rechten Fuß hinter mir herschleppte, verwickelte sich in einen Schnürhaken des linken Stiefels. Ich geriet ins Stolpern und sauste gegen das Büfett und stieß mir grässlich den Kopf an der offenen Büfetttür. Ein Bowlenservice geriet ins Wanken und fiel vom Büfett auf mich. – –

Gütige Hände nahmen sich meiner an und führten mich zur Tür.

Aus dem Lachen der Leute am Tisch klang fett und singend die Stimme der Kölnerin:

»So am Tabbeldoh hat man doch immer Unterhaltung. Ich ess immer am Tabbeldoh.« – – –

Das war eine monumentale Blamage. Trotz allen Waschens und Reibens mit Bimsstein, mit Säuren, mit den schärfsten Seifen, trotz Bearbeitung mit der Wurzelbürste, mit der Stahldrahtbürste, mit dem Hobel: die Waldbeerschwärze ging nicht ab.

Bedeutende Chemiker versuchten ihr Heil, Ärzte mussten ihre Hilflosigkeit eingestehen. Ich blieb blauschwarz wie ein Neger.

Eines Tages fiel ich dem Agenten von Hagenbeck in die Hände, der mich sofort um eine fürstliche Gage als wilden Mann engagierte.

Ich wurde aber, da ich nicht wild genug war, nach kurzer Zeit wieder entlassen.

Ich bin noch immer schwarz im Gesicht. Ich lasse mich aber von Zeit zu Zeit kälken. So geht es.

Donna Leon

Als ich zum ersten Mal Schafsauge aß

Nur dass ich's nicht gegessen habe, Sie können also getrost weiterlesen. Schauplatz war der Iran, gegen Ende der islamischen Revolution von 1979, die uns Westler allesamt aus dem Land vertreiben sollte. Iranische Freunde hatten für meinen Partner William und mich ein Festmahl ausgerichtet: Seit Verhängung des Kriegsrechts wusste jeder – mit Ausnahme der US-Regierung –, dass unsere Tage im Iran gezählt waren, weshalb die Freunde uns mit dieser besonderen Einladung noch einmal ihre Verbundenheit und Wertschätzung bekunden wollten.

Wir waren früher schon bei ihnen zu Gast gewesen, genau wie sie bei uns, kannten also Parveens Küche und erwarteten eine ihrer Spezialitäten wie gefüllte Weinblätter, gebackene Pastetchen mit Ei und Spinat oder Lammbraten. Als wir ankamen – ziemlich früh, da wir ja bei Einbruch der Dunkelheit, wenn die Ausgangssperre begann, wieder zu Hause sein mussten –, sahen wir Parveens Mutter in der Küche hantieren: gewiss ein gutes Zeichen, denn die *chanum*, die Dame des Hauses, wurde in der ganzen Nachbarschaft für ihre Kochkünste gerühmt. Auch Parveens Vater sowie ihre Schwester nebst Ehemann waren zugegen: Je mehr Familienmitglieder mit uns speisten, desto größer die uns erwiesene Ehre.

Auf dem niedrigen Tisch, um den wir uns versammelten, Männer und Frauen gemeinsam, was in einer traditionsbewussten Familie eigentlich streng verpönt war, standen Pistazien, Mandeln, Rosinen, eine Schale Gurkenjoghurt. Wir tranken Tee, machten höflich Konversation und überhörten geflissentlich das Maschinengewehrfeuer, dessen Echo von Zeit zu Zeit durch die Hausmauern drang.

Nach ungefähr zehn Minuten bat Parveen, sie zu entschuldigen, und entschwand über den Hof zur Küche, von wo sie alsbald mit einer Reisplatte so groß wie ein Wagenrad zurückkehrte, in deren Mitte ein dampfender Fleischberg aufragte. Parveen stellte die Platte auf den Tisch und häufte jedem von uns eine große Portion Reis und Fleisch auf den Teller. Zum Schluss fuhr sie mit dem Löffel zwischen die Fleischreste, förderte in rascher Folge zwei runde Gebilde zutage, die aussahen wie Murmeln, und ließ eine auf Williams, die andere auf meinen Teller gleiten.

Obwohl ich genau wusste, was da eben Entsetzliches passiert war, führte ich meinen Monolog über den richtigen Gebrauch des Plusquamperfekts ohne Stocken fort. Und William, dem ebenso klar war, was uns bevorstand, lauschte atemlos wie einer, der sich im Leben nichts sehnlicher wünscht, als endlich den tieferen Sinn des Plusquamperfekts zu ergründen.

Alle langten zu, ich vielleicht etwas zögerlicher als die anderen. Noch nie hatte ich so trockenen Reis gegessen; die gegarten Rosinen blieben mir einzeln im Halse stecken. Ich trank ein paar Gläser Tee und schob die eklige Kugel angelegentlich mit der Gabel vom linken an den rechten Tellerrand. Hin und wieder senkte ich auch den Blick und bewunderte die Delikatesse, die meiner harrte, damit alle sahen, dass ich mir das Beste bis zuletzt aufsparte.

William, dessen Mut ihn oder vielmehr uns während des monatelangen Ausnahmezustands nie verlassen hatte, benahm sich auch diesmal wie ein Held und schluckte sein Schafsauge auf einen Satz herunter. Damit war nur noch meines übrig, das zuweilen vom Teller zu mir heraufstarrte.

Die Mahlzeit neigte sich dem Ende zu. Als Dessert würde man uns noch Reispudding mit Rosenwassergeschmack servieren. Ich schielte nach meinem Teller, und das, was darauf lag, stierte zurück. Ich dachte an den Rat, mit dem viktorianische Mütter ihre Töchter auf die Hochzeitsnacht vorzubereiten pflegten: Schließ die Augen, und denk an England.

In der angrenzenden Straße explodierte eine Handgranate, zumindest krachte es so, wie man es von einer Handgranate erwarten würde. Parveens Vater stieß mit dem Knie gegen den Tisch, dass der Wasserkrug ins Schlingern geriet. Rettende Hände schnellten vor: Ein Glas Tee wurde auf den Teppich gefegt, die Joghurtschüssel kippte um. Als die Ordnung wiederhergestellt war, saß ich vor einem leeren Teller und lächelte verzückt über die mir erwiesene Ehre und die besondere Gaumenfreude, die sie mir beschert hatte.

Der Reispudding wurde aufgetragen, und dann war es auch schon Zeit zum Aufbruch, wenn wir vor der Sperrstunde daheim sein wollten. Hastiges Händeschütteln reihum; Parveens Mann begleitete uns noch bis zu unserer Straßenecke, wo wir mit abermaligem Händeschütteln und Verbeugungen Abschied nahmen.

»Wo hast du's?«, fragte William, als er die Haustür aufschloss.

»Im Taschentuch, in der Jackentasche. Ach, und ab heute bin ich Vegetarierin.«

Andrej Kurkow

Forelle à la tendresse

Lasst uns zu Dymitsch fahren!«

Mit diesem Ausruf fingen vor ein paar Jahren unsere Besuche im Restaurant ›Kasanow‹ an. Wir schoben uns gewöhnlich so gegen zehn Uhr abends in das Lokal, und als Erstes überprüften wir, ob der Chefkoch mit seiner weißen, unglaublich hohen Mütze an seinem Platz war. Man sagte, dass seine Kochmütze jeden Tag frisch gestärkt wurde, und zwar von seiner Geliebten namens Vera, die aussah wie fünfundzwanzig; wie alt auch immer sie war, sie sah jedenfalls halb so alt aus wie er und hatte auch nur die Hälfte der Leibesfülle zu bieten, die unser Lieblingskoch aufwies.

Manchmal erwischten wir Vera auch im Restaurant selbst. Sie trug einen Minirock und immer einen enganliegenden grellfarbigen Pulli dazu. Über ihren runden Augen schwebten angeklebte lange Wimpern. Unter ihrem leicht nach oben gebogenen Näschen lag ein pfiffiges Lächeln.

Der Chefkoch hieß Dymitsch. Ich hatte immer

gedacht, dass das eine Abkürzung für Dmitrijewitsch war, aber es stellte sich heraus, dass seine Freunde irgendwann einmal seinen Nachnamen, Nikodimow, verhunzt hatten, und so blieb er dann Dymitsch.

Ich erinnere mich noch genau, wie mich alte Bekannte ein Jahr zuvor erstmals in dieses Restaurant gebracht hatten. Sie hatten mich gleich zum Chefkoch persönlich geschleppt; als ob dieser Ort ein exklusiver kulinarischer Club wäre, in dem der Chefkoch selbst sein Okay dazu geben musste, dass ein Neuer mitkam.

Dymitsch sah mich damals lange und scheinbar prüfend an, aber mir war klar, dass er in diesem Moment an etwas ganz anderes dachte. Ich war gerade in fröhlicher Stimmung und beschloss, ihn bei dieser seltsamen Gesichtskontrolle ein bisschen hochzunehmen. Ich streckte ihm die Hand hin und sagte ganz brav im Ton eines Erstklässlers: »Wanja Solnyschkin.«

Er nickte und tauchte endlich aus seinen Gedanken auf: »Ich weiß, ich weiß«, sagte er. Dabei nickte er meinen Bekannten, die mich hergebracht hatten, anerkennend zu. Aber jetzt hat all das schon längst keine Bedeutung mehr …

Im ›Kasanow‹, das in einem kleinen Kellergebäude

untergebracht war, einem ehemaligen Karate-Club, konnten sich höchstens dreißig Leute gleichzeitig als Gourmets fühlen. Die kleinen Tische waren rund, genau richtig für drei Leute. Wir kamen meist zu viert oder fünft, und so hatten wir an zwei zusammengestellten Tischen nicht gerade üppig Platz. Aber sofort entstand ein Gefühl der Einheit und freundschaftlichen Verbundenheit. Aber das, was uns natürlich ganz besonders freute, war das Essen, von Dymitsch persönlich zubereitet. Den Worten meiner Freunde nach war er sein ganzes Leben als Chefkoch auf einem Dampfschiff unterwegs gewesen; und nicht nur auf irgendeinem, sondern auf der berühmten ›Admiral Nachimow‹. An Land gegangen sei er erst nach der letzten Fahrt dieses Schiffes, wobei er überall gut geschulte Nachfolger hinterlassen habe. An Land habe er zuerst an die zehn Odessaer Kneipen hinter sich lassen müssen, einige Restaurants mit billiger Kundschaft und ebenso billigen Besitzern, die kaum Grundschulbildung hatten und auf der Brust oder sonst wo einen Strauß von Gefängnistätowierungen. Nach dem Streit mit dem letzten Wirt hatte Dymitsch es für das Beste gehalten, aus Odessa zu verschwinden. Und die, die Odessa verlassen, haben nur wenige Reiseziele zur Auswahl: New York, Tel Aviv, Moskau oder Kiew. Als Mensch, der sich schon dem Zenit seines Lebens näherte, wählte er die kürzeste dieser Routen: Odessa–Kiew.

Im ›Kasanow‹ bedienten zwei elegante junge Männer – Genja und Taras-Takis. Zuerst hatte ich gedacht, dass Takis der Familienname war. Aber dann stellte sich heraus, dass sich eine internationale Organisation Takis nannte, die die Ukraine wohltätig unterstützte. Und Taras hatte ein Stipendium ergattert, das ihm die Reise in die Staaten und die Teilnahme an einem Kongress von Homosexuellen aus den USA und Europa ermöglicht hatte. Allerdings konnte er damals schon keine Fremdsprachen, was sich bis heute nicht geändert hat, woraus ich schloss, dass die Homosexuellen wohl ihre eigene internationale Sprache haben, so eine Art Esperanto.

Dymitsch verhielt sich seinen Kellnern gegenüber geradezu rührend. Manchmal streichelte er ihnen väterlich über den Rücken oder die Schulter. Dabei wandte sich sein Blick um hundertachtzig Grad nach innen und seiner Vergangenheit zu, als wenn er selbst einmal schwul und zärtlich gewesen wäre und sich nun an diese Zeit mit rührend stiller Trauer erinnere.

Aber dann erschien Vera, und sein Blick wandte sich sofort wieder in die umgekehrte Richtung, kam ins Hier und Jetzt zurück, und er sah Genja und Taras-Takis schon gar nicht mehr. Die beiden Kellner flitzten in die Küche und überbrachten einen Zettel mit der Nummer des Tisches und der gewünschten Bestellung. Vera setzte sich in eine Ecke und sah zu, wie ihr Lieblingskoch in der von ihr eigenhändig gestärkten Kochmütze kulinarische Wunder schuf. Manchmal stellte er ihr einen kleinen Teller mit einer gerade gekochten Köstlichkeit auf den Schoß. Sie bekam sofort eine Dessertgabel – eine normale Gabel gab er ihr nie, offensichtlich wäre das in Gegensatz zu ihren winzigen Händen gestanden. Und da saß sie dann, wie ein Aschenbrödel, über das Tellerchen gebeugt, und aß mit ihrer kleinen Gabel eine Coqille St. Jacques oder etwas in der Art.

Und dann kam die Neuigkeit: Dymitsch war verschwunden! Wie? Seit wann? Das herauszufinden wurde natürlich mir als ehemaligem Privatdetektiv aufgetragen.

Das Erste, was ich herausfand, war, dass Genja direkt nach Dymitschs Verschwinden mit einer schweren Form von Neuralgie ins Krankenhaus gekommen war. Am nächsten Tag hatten Vera und Taras-Takis ihn aber wieder abgeholt. Sie waren nun wieder zu dritt im Restaurant, nur dass Vera jetzt an Dymitschs Stelle kochte. Doch viele komplizierte Gerichte waren von der Karte gestrichen. Und auch die Atmosphäre hatte sich nicht zum Besseren geändert. Taras-Takis brachte den Gästen auf einem Tablett schweigend das Gewünschte, wobei er ein bekümmertes Gesicht machte, als sei er nicht Kellner, sondern Angestellter eines Bestattungsunternehmens. Vera sah ab und zu in die Gaststube herein, aber auch sie hatte keinen Glanz in den Augen. Und das, obwohl sie wie immer mit ihren künstlichen Wimpern klimperte und die runden Augen verdrehte. Miniröcke trug sie allerdings nicht mehr. Jetzt hatte sie lange enge Hosen an. Sie hatte sich eine extra hohe Kochmütze genäht und stärkte sie wie gewohnt; nur so hielt die Mütze die ihr zugedachte Form.

Früher hatte ich oft im Spaß mit ihr geflirtet, vor allem, wenn ich zwei oder drei Gläser guten Weines getrunken hatte. Und Vera war darauf eingegangen. Der Abstand zwischen uns hatte nie weniger als zwei Meter betragen, aber gegenseitige Neckereien, ein Lächeln und Augenzwinkern füllten diesen Abstand immer wieder aus. Es war wie der elektrische Funke zwischen zwei Kontakten einer Zündkerze. Manchmal hätte ich gern mehr mit ihr gesprochen, aber in solchen Momenten ließen mich meine Freunde nicht aus der Tischrunde weg. Sie wollten nicht, dass sich Dymitsch ärgerte wegen ein paar im Grunde harmloser Flirtspielchen mit seiner Kleinen.

Und nun, da sich der ›Verband der unabhängigen Chefköche der Ukraine‹ mit der bezahlten Bitte an mich gewandt hatte, das geheimnisvolle Verschwinden Dymitschs aufzuklären, fing ich natürlich mit der Arbeit an einem Tisch im ›Kasanow‹ an.

Taras-Takis brachte mir die Speisekarte, auf der viele mir bekannte Gerichte mit schwarzem Filzstift ausgestrichen waren. Es sah aus, als ob ein brutaler kulinarischer Zensor sich die Seiten vorgenommen hätte.

Ich bestellte eine Julienne mit Champignons und Taubenfleisch, ein Glas spanischen Weines und bat den einen Kellner, sich für einen Moment zu mir zu setzen. Er setzte sich, aber erst nachdem er die Bestellung in der Küche abgegeben hatte.

»Etwas weiß ich schon«, sagte er direkt zu mir. »Aber Sie sind ja schließlich nicht von der Miliz … Und überhaupt, in ein paar Tagen erfahren Sie sowieso alles … Sie müssen nur an allen diesen Tagen bei uns zu Abend essen. Und ich werde Ihnen jeweils raten, was Sie bestellen sollen.«

Nach diesen Worten stand er würdevoll auf und wandte sich einem älteren Gast zu, der sich gerade an den Tisch am Eingang gesetzt hatte.

Zwanzig Minuten später kam Vera aus der Küche. Sie brachte mir die Julienne und setzte sich kurz zu mir.

»Sie suchen Dymitsch?«, fragte sie traurig seufzend. »Wenn Sie nichts dagegen haben, esse ich mit Ihnen zu Abend...«

Kurz darauf trat sie wieder an meinen Tisch, jetzt schon ohne Kochmütze und weiße Schürze. Sie stellte ein Tontöpfchen mit Hühnerragout und ein Glas Weißwein vor sich hin.

»Sie wissen doch etwas, Vera«, sagte ich leise.

»Wissen Sie, wie er mich immer nannte? ›Kleine Vera‹, nach dem Film...«, sagte sie versonnen lächelnd. »Ich bin ja auch wirklich klein und heiße tatsächlich Vera...«

»Wer hat ihn zuletzt gesehen?«, fragte ich.

Sie sah mir in die Augen, und auf ihrem Gesicht blieb dabei der Ausdruck versonnenen Abschätzens.

»Wir haben ihn alle zuletzt gesehen, Sie auch... Er hatte sich nicht wohl gefühlt...«

»Aber was ist mit ihm passiert? Wohin ist er gegangen? Wieso sucht ihn die Miliz nicht? Wieso haben Sie keine Vermisstenanzeige aufgegeben?«

Vera zuckte die Achseln. Dann strich sie über die Wolle ihres roten Pullovers. Es war offensichtlich, dass ihr die Rolle des rätselhaft schweigenden Aschenbrödels besser gefiel als die der Scheherazade. Also wartete ich nicht weiter auf eine Antwort und machte mich an meine Julienne. Auf meiner Zunge zergingen Champignons und die Stückchen von Taubenfleisch, was sich übrigens nur wenig von Hühnerfleisch unterschied. Von Zeit zu Zeit knirschten ein paar Gewürze zwischen meinen Zähnen, wobei die Gewürze, oder wenigstens eines von ihnen, einen bemerkenswerten Geschmack hatten – die Säure von Zitrone mit einem Beigeschmack von Rauch, in dem ein englischer Bacon geräuchert worden war, dazu der leichte Vanillegeschmack von frischer Sahne. Ich überlegte sogar, wie es wohl kam, dass sich alle diese raffinierten Geschmacksnoten in etwas zwischen meinen Zähnen Knirschendem konzentrierten …

»Wissen Sie«, sagte Vera plötzlich. »Dymitsch hatte schon von Kindheit an Angst vor Ärzten … Man hatte ihm mit drei die Mandeln herausgenommen, und er wäre dabei um ein Haar am eigenen Blut erstickt … Einmal hat er mir davon erzählt, dabei kamen ihm fast die Tränen …«

»Sie haben gesagt, dass er krank war?«, ging ich bereitwillig auf das Gespräch ein.

»Ich habe gesagt, dass er sich nicht ganz wohl fühlte«, korrigierte mich Vera.

»Und wo ist da der Unterschied?«

»Wenn man krank ist, hat man eine Krankheit«, erläuterte Vera. »Aber sich nicht wohl fühlen, das ist einfach so, mit dem ganzen Körper oder der Seele …«

»Hatte er seelische Probleme?«

»Sie sind ja nicht gerade ein taktvoller Mensch«, meinte Vera und sah mich mit ihren runden Augen an. »Ich verstehe ehrlich gesagt gar nicht, wieso er so freundliche Gefühle Ihnen gegenüber hegte! Er kannte Sie ja fast gar nicht!«

»Wieso mir gegenüber?« Nun war es an mir, sich zu wundern. »Wie kommen Sie denn darauf?«

»Wegen seines Testaments ...«

»Er hat ein Testament hinterlassen?« Jetzt konnte ich wohl meine Freude schlecht verhehlen, denn das war schließlich ein Anhaltspunkt!

»Ja, er hat ein Testament gemacht«, sagte Vera traurig. »Und entsprechend dem Testament werden Sie in drei Tagen den weiteren Inhalt erfahren ...«

»Und wann hat er das geschrieben?«

»Vor einer Woche.«

»Das heißt also, dass er von seinem bevorstehenden Tod gewusst hat?«

»Jeder Mensch weiß, dass ihm sein Tod bevorsteht, und bei gut der Hälfte der Leute liegt ein Testament irgendwo in der Schublade.«

»Sie wollen damit sagen, dass er doch nicht tot ist? Wieso werde ich dann in drei Tagen den Inhalt seines Testaments erfahren? Wenn Sie bereit sind, es mir zu zeigen, heißt das doch, dass der Verfasser des Testaments nicht mehr unter den Lebenden ist?«

»Ja, wenn Sie so wollen. Aber unter den Toten ist er auch nicht…«

Ich hatte meine Suppe inzwischen zu Ende gegessen und vertiefte mich in Veras Augen. Ich suchte hinter den Pupillen oder auch daneben die Anzeichen einer Verrücktheit oder seelischen Verstörtheit.

Aber ihre Augen zeugten nur von konzentrierter Trauer.

»Und wo ist er dann? Auf der Intensivstation? Wie in dem berühmten Witz?«

»Wissen Sie«, sagte Vera plötzlich schwer seufzend. »Ich bin sehr erschöpft, und Ihre Ironie zieht mich noch mehr runter!«

Ich stand vom Tisch auf.

»Für das morgige Abendessen haben wir Ihnen den Ecktisch reserviert, den da hinten!«, sagte sie. »Können Sie gegen sieben kommen?«

Ich verschluckte mich vor Überraschung, schluckte noch einmal und nickte. Sie ging weg und ließ mich im Zustand leichter Verblüffung zurück. Hatten die drei etwas abgesprochen? Hatten sie etwa beschlossen, auf meine Kosten die Finanzen des Restaurants zu sanieren?

Dieser Gedanke ließ mich innerlich aufhorchen, und ich rief Vera aus dem Vorraum und bat sie, mir eine vollständige Rechnung zu schreiben, damit ich die gesamte Summe vom ›Verband der unabhängigen Chefköche der Ukraine‹ später zurückfordern konnte. Schließlich hatte ich in ihrem Auftrag hier gegessen! Wenn es nach mir persönlich gegangen wäre, wäre ich bei McDonald's gelandet – keinerlei Raffinement, aber auch keinerlei Fragen. Und Köche gab es dort auch keine!

Als ich nach draußen auf die Wetrow-Straße trat, regnete es. Der Wind trieb den Regen in Richtung Bahnhof, und ich musste die Tolstoj-Straße hinauf. Also wehte mir der Regen direkt ins Gesicht. Meine Augen waren schon ausgewaschen, meine Wangen nass. In der rechten Hand trug ich meine altmodische lederne Aktentasche, in der linken einen geschlossenen Schirm. Ich genierte mich, ihn zu öffnen, denn es fehlten zwei Speichen, nur in geschlossenem Zustand sah er halbwegs passabel aus. Noch über den Regen sinnierend, warf ich einen Blick auf meine Linke mit dem geschlossenen Schirm. Ich wurde mir seines absurden Gewichtes bewusst und warf ihn kurzerhand über den Zaun des Botanischen Gartens. Nun war mir gleich leichter. Oder wenigstens meiner linken Hand. Nichts Fremdes war mehr an ihr, denn mein ›Scheidungsring‹ am linken Ringfinger hatte schon längst seine goldene Fremdheit verloren, er war wie mit dem Finger verwachsen, und deshalb spürte ich ihn nicht mehr.

Es war schon ungefähr Mitternacht, als ich mir in meinem Badezimmer die Zähne putzte. Ich wienerte sie so blank wie früher in der Armee meine Gürtelschnalle. Es gibt nichts Angenehmeres, als mit dem Geschmack von wilder Frische im Mund einzuschlafen. Jedenfalls wenn man ganz allein einschläft. Ich spülte den Mund ein paar Mal aus und spuckte das verbrauchte Wasser prustend ins Becken. Doch irgendetwas zwang mich, immer noch einmal einen Schluck Wasser zu nehmen und ihn wieder im Mund hin und her zu wirbeln, ihn immer wieder vor und hinter die zusammengepressten Zähne schiebend. So versuchten wohl die Wale, den Plankton zwischen den Barten herauszufiltern. Ich ernähre mich aber nicht von Plankton, und so versuchte ich, die störenden Teilchen loszuwerden. Schließlich entdeckte ich die Ursache meines Unbehagens: ein schwärzliches Sandkorn steckte zwischen meinen Zähnen. Um es herauszulösen, musste ich zehn Zentimeter Zahnseide abschneiden. Nur damit gelang es mir, endgültig Ordnung in meinen Mund zu bringen, und nun, müde vom Kampf um Zahnhygiene und gesundes Zahnfleisch, war ich mehr zum Schlafen bereit als zu Zeiten des Sowjetenthusiasmus nach Arbeit und Landesverteidigung.

Am nächsten Morgen empfand ich die Einladung zum Abendessen ins ›Kasanow‹ schon als völlig normal, ja ich freute mich sogar darauf. Ein Blick in meinen Kühlschrank genügte, und jedes beliebige Abendessen außerhalb meiner Küche hatte etwas Verführerisches: Im obersten Fach lag, gut eingepackt in Wachspapier, der ausgetrocknete Schwanz einer geräucherten Makrele. Ins unterste Fach schaute man schon besser gar nicht hinein... Das Singleleben hat seine Vorteile, aber sie sind sicherlich nicht kulinarischer Art. Nur darum, dass immer genug Kaffee und Tee im Hause war, kümmerte ich mich, wie es sich gehörte, alles andere war höchstens zufällig oder aus einer Laune heraus da. Ich erinnere mich noch, dass einmal eine Bekannte, eine junge Bankangestellte, öfter zu mir kam. Beim ersten Mal kam sie mit Schokolade. Beim zweiten Mal brachte sie schon eine Salami mit und ein frisches Stangenbrot. Aber leider hatte sie sich für mich genauso unerwartet erwärmt, wie sie sich dann auch wieder abkühlte. Ich hatte nicht einmal genug Zeit, herauszubekommen, was ihr denn an mir gefallen hatte. Hätte sie es mir nur gesagt, dann hätte ich vielleicht diesen, mir bis dahin unbekannten Zug mehr herausgearbeitet, und schwuppdiwupp, wäre das Junggesellenleben vielleicht zu Ende gewesen! Und ich müsste morgens nicht mehr so vorsichtig in den Kühlschrank schauen, so wie ich als Kind unters Kopfkissen geschaut hatte, um nachzusehen, ob der Weihnachtsmann mir nicht während des Schlafs etwas Schönes gebracht hätte.

Die Sonne schien an diesem Tag drei Stunden lang. Dann versteckte sie sich hinter den Wolken. Es war wieder windig, aber an diesem Tag wehte mir der Wind ausschließlich in den Rücken, als wolle er mich antreiben.

Um halb sieben war ich im Restaurant. Erst als ich schon über die Schwelle war, fiel mir ein, dass ich ja erst um sieben hätte kommen sollen. Eigentlich wäre ich bereit gewesen, einfach ein halbes Stündchen in Gedanken versunken dazusitzen, mich auf die Gespräche über Dymitsch einzustimmen, mir ein paar Kniffe einfallen zu lassen, um Vera oder einen der Kellner im Gespräch kalt zu erwischen und aus ihnen die Wahrheit herauszuholen, die sie – da war ich ganz sicher – vollständig kannten. Sie beeilten sich bloß nicht, ihr Wissen mit mir zu teilen. Sie gaben sie in Restaurant-Portionen an mich ab, wobei sie jedes Bröckchen Information in eine Delikatesse verwandelten, von der man nur kosten darf, die man aber nicht ganz aufisst oder, bewahre, sich etwa daran satt isst.

Ich wiederholte im Geiste alles, was mir am vergangenen Abend gelungen war, aus Vera herauszuholen. Die Hauptsache war natürlich das Testament. Aber das würde man mich erst in ein paar Tagen lesen lassen. Natürlich würde in dem Testament kaum stehen, was mit seinem Verfasser passiert war, woran und wann er gestorben war. Genau darauf musste ich mich in allen eventuellen Gesprächen konzentrieren.

Die kleine Vera brachte mir die Speisekarte.

»Für Sie haben wir heute marinierte Nierchen mit Lauchgemüse, aber zuerst ein Tomaten-Pilz-Soufflé an Senfsauce. Möchten Sie einen Wodka dazu?«

Ich sah sie unaufdringlich von oben bis unten mit zärtlichem, fragendem Blick an.

»Na ja, hundert Gramm könnte nicht schaden«, sagte ich nickend, dann fügte ich meinem Blick ein Lächeln hinzu und fragte: »Und all diese Köstlichkeiten bereiten Sie nun zu?«

»Ja, ich. Aber denken Sie nicht, dass ich das freiwillig tue.«

Die Antwort erstaunte mich. Vera musste schlucken. »Also, nicht, dass ich nicht mit Vergnügen ... Ich meine nur, dass nicht ich das Menü für Sie zusammengestellt habe.«

»Und wer dann? Man könnte fast meinen, dass es Dymitsch selbst war!«

»Stimmt. Er war es. Er hat selbst eines Abends aufgeschrieben, was wir Ihnen servieren sollen.«

»Was ist denn das? Etwa auch ein Letzter Wille des Verstorbenen?«

»Sie sollen nicht so über ihn sprechen!«, tadelte Vera meinen sarkastischen Ton. »Ich gehe jetzt kochen, und Sie lesen lieber mal den Brief durch, den er mir einmal geschrieben hat!« Damit legte sie einen Umschlag vor mich auf den Tisch.

Als ich den Stempel genauer ansah, bemerkte ich, dass der Brief am 23. Januar 1991 von Odessa nach Woronesch geschickt worden war. Ich zog zwei Blätter dünnes Papier heraus, die von einer winzigen Schrift bedeckt waren. Ich seufzte vor innerem Unbehagen, das mich immer beim Lesen fremder Briefe befällt.

Liebe Nichte,
voller Verärgerung wird mir klar, dass ich zur Feier Deiner Volljährigkeit nicht kommen kann. Zu dieser Zeit werde ich irgendwo am Äquator die ausländischen Touristen bekochen. Aber ich hoffe, dass die sowjetische Post mich nicht im Stich lässt, und dann erwartet Dich in etwa einer Woche eine Überraschung. Ich packe jetzt für die Fahrt und rechne innerlich zusammen, wie viel Dummheiten ich in meinem Leben gemacht

habe – es scheint eine chronische Gewohnheit zu sein. Die Dummheiten lasse ich hier, und auf die Fahrt versuche ich, nur das Allernötigste mitzunehmen – und die schönen Erinnerungen. Dein Besuch vor kurzem ist eine der schönsten Erinnerungen, und sogar die Missbilligung Deiner Mutter, was meine Lebensweise betrifft, kann sie nicht verdüstern. Deine Mutter ist ein guter Mensch, aber einer, der immer alles richtig macht. (Ich bin auch ein guter Mensch, aber einer, der immer alles falsch macht.) Ich hoffe, sie ist nicht krank und kann Dir ein fröhliches Geburtstagsfest ausrichten. Bis zum nächsten Sommer verspreche ich Euch eine Generalrenovierung, und dann habt Ihr hier bei mir immer ein Zimmer für die ganze Sommersaison. Und wenn Du beschließt, ohne Deine Mutter zu kommen, aber mit einem jungen Mann (zeig diesen Brief bloß nicht Tonja!), dann, bitte schön, bist Du hier auch willkommen, und ich garantiere Dir ein volles Alibi plus ›Begutachtung‹ des Verehrers. (Weißt Du, am besten verbrennst Du den Brief, nachdem Du ihn gelesen hast, sonst verstöre ich noch sämtliche Verwandte, und man lässt Dich nicht mehr zu mir!)

»Bitte sehr, Ihr Wodka!«, sagte jemand über meinem Kopf und stellte eine kleine Karaffe und ein Gläschen vor mich hin. Die Karaffe wurde wie von Zauberhand in die Luft gehoben, füllte das Gläschen und ließ sich wieder daneben nieder. Ich nickte nur und steckte meine Nase wieder in den Brief.

Übrigens als mir Tonja in Deinem Beisein die Leviten las, hat sie ziemlich übertrieben. Wahrscheinlich, um bei Dir Eindruck zu schinden. Ich habe nicht fünf Ehefrauen mit Kindern verlassen. Ich hatte lediglich zwei offizielle Ehefrauen, und auch die habe ich im Guten verlassen und noch vor kurzem nachgeschaut, ob bei ihnen alles in Ordnung ist. Bei der letzten habe ich sogar persönlich Tapeten geklebt und Klempner gespielt. Also beurteile mich nicht allzu streng. Ich schreibe Dir bald wieder, ich suche die Insel mit den schönsten Briefmarken aus, und dann schreibe ich Dir ein Briefchen.

Ich umarme Dich,
Dein Onkel Sjowa

Ich schob den Brief in den Umschlag zurück und hob das Wodkaglas an die Lippen. Da fiel mein Blick auf ein Schälchen mit Oliven, das ich zuerst gar nicht bemerkt hatte. Ich trank den Wodka aus, warf zwei Oliven hinterher und überlegte. Ich sinnierte über den Brief. Warum hatte Vera mir den bloß zugeschoben? Noch dazu, wo er so persönlich war? Ach so, natürlich, alle dachten ja immer, dass sie Dymitschs Geliebte sei, und jetzt stellte sich heraus, dass sie die Nichte war. Aber vielleicht schloss das eine das andere nicht mal aus… Doch da bemerkte ich, dass meine Beziehung zu Vera mit einem Mal wärmer und zärtlicher geworden war. Geheimnisse vor der Mutter und die Freundschaft mit dem ›aus der Art geschlagenen‹ Verwandten, der Frauen und Kinder verlassen hatte und auf seinem Dampfschiff Richtung Äquator schwamm…

Eine Art Eifersucht überfiel mich, ich beneidete sie, diese Vera. Meine Kindheit in einem Waisenhaus war geradlinig wie auf einer Trambahnschiene vom Start bis zur Endstation verlaufen. Dann hatte man mich mit einem braunen Pappkoffer ausgesetzt, in dem ordentlich gefaltet die ›Ausrüstung eines Entlassenen‹ lag: drei Paar graue Socken, drei Unterhosen mittlerer Größe, in die ich noch ein Gummiband einziehen musste, eine gelbe Zelluloiddose mit Rasiersachen, obwohl ich mich noch gar nicht rasierte… Na gut… Ich seufzte, als ich für einen Moment aus meinen Kinderheimerinnerungen auftauchte. Und ich spürte, dass es mich wieder dort hinabzog, in diese Tiefe. Meine Zukunft war damals sehr unsicher gewesen. Als einziger der Jungen hatte ich nicht die Militärlaufbahn eingeschlagen. Ich – und da war ich wohl der Einzige – hatte damals das Gefühl, gerade mit einer derartigen Anstalt abgeschlossen zu haben, und das reichte mir entschieden. Und so was nannte sich auch noch ›Kinderheim Kleine Sonne‹. Die ›kleine Sonne‹ war unser Direktor selbst, ein Exfeldwebel und Panzerfahrer der Einheit Kavallerie Grigorij Michailowitsch, oder wie wir sagten ›Grischmisch‹.

Ab einem bestimmten Moment wurde mir bewusst, dass ich im Restaurant saß und etwas Leckeres aß. Und dass ich es ganz allein aß. Ich schaute mich verstört um. Weder Genja noch Taras-Takis noch Vera waren zu sehen. Und auch im Gastraum war nicht ein einziger Gast zu sehen. Dementsprechend war das Licht. Ohne die marinierten Nierchen aufgegessen zu haben, stand ich auf. Ich lauschte. Ich ging zum Ausgang, der zur Straße führte. Ich schaute hinaus und tat einen Schritt über die Schwelle. Als ich mich wieder umwandte, erblickte ich auf der Eingangstür ein Täfelchen: HEUTE GESCHLOSSENE GESELLSCHAFT.

Gedankenverloren ging ich an meinen Tisch zurück. Ich bemerkte, dass rechts schon ein fast leerer Teller stand, auf dem die Reste von etwas von mir Gegessenem lagen. Ach ja, das Tomaten-Pilz-

Soufflé, wurde mir klar, und ich versuchte, mich an seinen Geschmack zu erinnern. Aber es gelang mir nicht. Gut, dass die marinierten Nierchen noch nicht ganz aufgegessen waren. Denn sie waren wirklich köstlich. Irgendetwas erinnerte mich an das Gewürz des Vorabends, jedenfalls hatte ich eine Geschmackserinnerung, eine Geschmacksmetapher, ein Geschmackszitat, das mich in die Vergangenheit führte, in die entferntere und gleichzeitig in die näher zurückliegende.

Immer noch kam niemand heraus, um sich mit mir zu unterhalten, wenn man mal von Genja absah, der urplötzlich mit einem Tablett in der Hand auftauchte. Vor mir erschienen eine Tasse Kaffee und ein kleiner Lebkuchen auf einem Tellerchen. Auf dem somit frei gewordenen Tablett trug Genja nun geschickt das schmutzige Geschirr und die leere Wodkakaraffe hinaus. Die Karaffe mit dem Blick verfolgend, ließ ich mich wieder in die Vergangenheit gleiten und nickte Genja nur flüchtig zu. Eigentlich hatte ich ihn noch etwas aufhalten wollen. Doch da zog bereits der Lebkuchen meine Aufmerksamkeit auf sich. Es war ein sogenannter ›geprägter‹ Lebkuchen, der eine Art Halbrelief unter der Glasur hatte. Das Halbrelief war eine Darstellung von Wasnezows ›Die Ritter am Kreuzweg‹. Ich drehte ihn zwischen den Fingern hin und her und roch an ihm: Er war offensichtlich frisch gebacken. Einen Moment lang schloss ich die Augen – und sah sofort diese drei Ritter vor mir, nur in groß, auf dem berühmten Bild, das in der Halle unseres Kinderheims gehangen hatte. Jeder Hereinkommende prallte unweigerlich auf diese Kopie von Wasnezows Bild. Mit dem Lebkuchen in der Hand ging ich zur Tür, durch die der Kellner Genja verschwunden war. Ich öffnete die Tür einen Spaltbreit.

Genja saß auf einem Stuhl neben dem gewaltigen Herd und las in einem Buch.

»Entschuldigen Sie, aber wo ist Vera?«, fragte ich.

»Vera hat sich nicht ganz wohl gefühlt und ist zum Friseur gegangen. Sie kommt bald wieder, Sie sollen warten ... Möchten Sie einen Kognak?«

Ich nickte und kehrte zu meinem Tisch zurück. Der Kognak munterte mich auch nicht auf, eher machte er mich lethargisch.

Als Vera das Restaurant betrat, bat sie mich sofort, sie nach Hause zu begleiten. Ich durfte noch nicht mal für das Abendessen bezahlen. Als ich es auch nur andeutete, unterbrach sie mich sofort und sagte, dass ich hier noch oft genug essen würde.

Wir gingen langsam zum Petscherski-Platz. Sie hatte sich bei mir untergehakt. Ihr grauer Mantel mit silbrigem Fuchspelzbesatz verwandelte sie in eine kleine Maus. Die neue Frisur war von einem wollenen Orenburger Spitzentuch bedeckt.

»Sie hatten mir versprochen, heute Abend über Dymitsch mit mir zu reden«, sagte ich.

»Ich habe schon mehr getan, als ich versprochen habe«, antwortete Vera ruhig. »Kommen Sie morgen wieder!«

Wir gingen schweigend weiter. Auf der Lipskaja-Straße bogen wir nach rechts ab. Neben einem grauen Gebäude, das wohl aus der Stalinzeit stammte, blieben wir stehen. Sie lächelte mich an, nickte mir zu und ging in die Eingangshalle.

Am nächsten Morgen wurde ich vom ›Verband der unabhängigen Chefköche der Ukraine‹ angerufen. Sie interessierten sich für die Ergebnisse meiner Recherche.

»Ich bin noch dran«, sagte ich. »Aber so in ein, zwei Tagen ist alles geklärt.«

Man muss zur Ehre des Anrufers sagen, dass er nicht weiter insistierte, er wünschte Erfolg und informierte mich, dass man mir einen Teil meines Honorars nach Hause geschickt habe.

Der Tag stellte sich als kühl und regnerisch heraus. Mit größtem Widerwillen ging ich Brot und Käse einkaufen. Dann wärmte ich mich lange bei einem Glas Tee. Ebenso widerwillig marschierte ich später, schon bei Dunkelheit, ins Restaurant ›Kasanow‹ zu meinem dritten ›Arbeitsessen‹.

An der Eingangstür des Restaurants hing immer noch das Schildchen HEUTE GESCHLOSSENE GESELLSCHAFT. Es schreckte mich nicht, denn schon am Vortag war mir klargeworden, dass sich dahinter mein Spezialmenü verbarg und dass die ›Geschlossene Gesellschaft‹ aus mir, dem Restaurantpersonal und dem toten Dymitsch bestand, der mir ein ganz bestimmtes Menü zugedacht hatte.

»Heute haben wir Lachsforelle à la tendresse«, sagte Taras-Takis zu mir, als ich mich gesetzt hatte. Er war heute Abend angezogen, als wolle er ins Casino oder in einen Nachtclub gehen: teures, aber grellfarbiges Jackett mit Stehkragen, Smokinghose, dunkelblaue Fliege.

»Zur Forelle gibt es mexikanische Springbohnen und eine Pastete aus Karotten. Dazu einen Chardonnay 1996. Als Vorspeise haben wir ein Entenei im Brotteig, gefüllt mit Wachteleiern, an Krabbenpaste mit schwarzem Kaviar. Ich sage Ihnen im Vertrauen, dass in den Brotteig gemahlene Seegurke gehört, aber das haben wir nirgends auftreiben können ... Das konnte Serverjan Valjerijewitsch auf einem Luxusliner natürlich gut aufschreiben, aber hier ... Sie verstehen schon ... Aber alles andere ist genau nach Vorschrift!«

»Genau nach Menüplan!«, verbesserte ich.

»Wenn Sie so wollen, so kann man es auch sagen …« Taras-Takis verbeugte sich und entfernte sich besonders elegant, als ob ich das zu schätzen wüsste.

Wieder war mir die Atmosphäre einfach zu ruhig, und ich verlor mich erneut in Gedanken: Würde sich heute jemand mit mir über Dymitsch unterhalten oder nicht? In dem Moment öffnete sich die Restauranttür, und im Gehen den Schirm zusammenfaltend, betrat Genja den Raum. Er grüßte vernehmlich und huschte in die Küche. Drei Minuten später kam er wieder heraus, jetzt schon im Kellnerdress, und setzte sich neben mich.

»Sagen Sie, haben Sie Ihre Eltern geliebt?«, fragte er mich.

»Ja, aber ich habe sie nicht gekannt … Ich bin in einem Kinderheim groß geworden.«

Auf Genjas schmalem Gesicht zeigte sich Verwunderung, dann tauchte plötzlich ein Blitz der Erleuchtung in seinem Blick auf, und sein Gesichtsausdruck beruhigte sich.

»Ich gehe Taras helfen«, sagte er und erhob sich graziös vom Tisch.

›Wo ist eigentlich die kleine Vera?‹, dachte ich, da ich mich in der Gesellschaft der zwei graziösen Kellner, die mir ganz offensichtlich nichts zu erzählen gedachten, nicht wohl fühlte.

Nach drei Minuten kamen die beiden Kellner an meinen Tisch. Einer entkorkte vor meinen Augen einen Chardonnay, der andere stellte drei Weingläser hin – das war ja schon mal ein gutes Zeichen. Also wollten sie sich doch endlich zu mir setzen.

Und das taten sie dann auch wirklich. Allerdings nippte Taras-Takis nur kurz an seinem Weinglas und rannte dann wieder in die Küche. Genja aber blieb.

»Hat Vera Ihnen was erzählt?«, fragte er mit blinzelnden Äuglein.

»Über wen?«, fragte ich verwundert. »Über Dymitsch?«

»Nein, überhaupt … über Dymitsch, und über das ganze Testament?«

»Ja und Sie selbst, wissen Sie denn nichts?«, fragte ich ungläubig zurück. »Ich komme doch schließlich zu Ihnen hierher, um alles herauszufinden, was Sie wissen, aber Sie sind irgendwie nicht sehr mitteilsam …«

Genja kräuselte bedauernd die dünnen Lippen.

»Nun ja, wir selbst … wir wissen wenig. Es ist eher Vera …«

»Dann habt ihr auch das Testament gar nicht gesehen?«

»Nein«, sagte Genja und sah mir dabei direkt in die Augen. »Sie hat uns nur das Menü für Sie gegeben. Das Menü hat auf jeden Fall Dymitsch zusammengestellt, auch wenn es mit Veras Handschrift geschrieben ist …«

»Kann ich das Menü mal sehen?«

»Wieso?«, fragte Genja verwundert. »Besser nicht… Das würde Vera gar nicht gefallen …«

»Haben Sie etwa Angst vor ihr?«

»Also, ich schau mal, was Taras macht… Vielleicht braucht er Hilfe …«

Genjas Wunsch, das Gespräch nicht fortzusetzen, war mehr als offensichtlich. Ich trank etwas von dem Wein, während ich die zwei unberührten anderen Weingläser ansah, die für die Kellner gewesen waren. Wenigstens war die Rangfolge in diesem Restaurant eindeutig klar.

Vera war nach dem Verschwinden oder auch Tod von Dymitsch de facto die Chefin, und die beiden, die wohl früher von Dymitsch ernährt wurden, fürchteten nun um ihren Platz und hatten allen Anschein nach auch Grund, sich um ihre Zukunft zu sorgen.

Taras brachte kurz darauf das gefüllte Entenei und räumte die übrigen Gläser vom Tisch, wodurch er unterstrich, dass das Gespräch nicht fortgesetzt würde.

Ich machte mich an die Vorspeise. Der unerwartet pikante Geschmack ließ mich aus meinen

Gedanken auftauchen. Ich aß achtsam, mit dem Interesse eines Wissenschaftlers, und versuchte, alle Ingredienzien dieses Gerichtes herauszubekommen. Und plötzlich – da war sie wieder, meine Vergangenheit – tauchte das Gesicht meines Kinderheimfreundes Paschka auf. Das dümmliche Lächeln, die frechen Augen, die niedrige Stirn und eine unglaubliche Neugier, der Wunsch, alles auswendig zu lernen, was überhaupt nur geht. Vor allem interessierten ihn Zeichensysteme. In der fünften Klasse gestand er per Morsezeichen der dünnen Svetka seine Liebe. In der siebten Klasse bekam eine junge Lehrerin einen Brief, der in Braille-Schrift geschrieben war. Sie war Mitglied im Blindenverband, und offensichtlich las ihr einer der Blinden den Brief laut vor, wonach sie Paschka vor der ganzen Klasse eine runterhaute. Wohin führte mich all das? Zum Problem des Zusammenpassens. Diese ausgefeilten kulinarischen Rezepte waren weit über Dymitschs Niveau, oder wenigstens oberhalb seines üblichen Standards. Selbst in seiner gestärkten Kochmütze war er doch eher ein Koch von deftigen und einfachen Gerichten, in Deutschland wäre er sicher der König der Würstchen und der fetten Beilagen gewesen, in Frankreich wäre er berühmt gewesen für seine elsässischen Schlachtplatten, in Sibirien für seine gutgefüllten Pelmeni. Aber marinierte

Nierchen, Forelle à la tendresse, oder ein gefülltes Entenei , in dessen Brotteig, zugegeben, die gemahlene Seegurke fehlte?

Das alles passte einfach nicht zum Dymitsch. Ich glaubte übrigens immer noch nicht hundertprozentig an die Wahrheit seiner kulinarischen Seereisen auf einem Passagierschiff. Einen Bootsmann hätte man in ihm sehen können, aber einen Schiffskoch auf einem Dampfer, noch dazu Chefkoch eines Luxusliners – nein, das nun wirklich nicht. Aber wieso war mir Paschka aus dem Kinderheim in den Sinn gekommen? Seiner Fratze nach geurteilt, hätte man ihm auch nie etwas Kluges oder Gutes zugetraut.

Die Forelle war tatsächlich rosafarben, und die mexikanische Springbohne erinnerte in Maß und Form an Walnusskerne. Hier war es mit den Geschmacksqualitäten schon einfacher. Nicht, dass es schlechter schmeckte, es war nur einfacher auf der Geschmacksskala zu bestimmen. Der Geschmack von Forelle war für mich nichts Neues, obwohl man die Male, bei denen ich in meinem zweiunddreißigjährigen Leben eine Forelle verspeist hatte, an zwei Händen abzählen konnte.

Ich goss mir selbst Wein nach und wünschte mir selbst alles Gute für die Zukunft. Nur mit mir selbst anzustoßen wollte mir nicht so recht gelingen. Doch langsam ergriff mich eine versöhnliche Stimmung, ich brauchte anscheinend bereits keinen Gesprächspartner mehr und genoss sogar sein Fehlen. Doch dann wurde die Harmonie gestört.

Die kleine Vera betrat das Restaurant. Sie klappte ihren kleinen Regenschirm zusammen und legte ihn auf den Boden, den Mantel hängte sie am Garderobenhaken auf. Darunter kam das strenge Kostümchen einer Geschäftsfrau zum Vorschein, das ihre nichtgeschäftlichen Vorzüge allerdings nur betonte. Sie kam zu mir.

»Schmeckt es?«, fragte sie.

»Sehr gut.«

»Ich komme sofort wieder«, sagte Vera und ging in die Küche.

Hinter der geschlossenen Tür war ihre wohltönende Stimme zu hören. Etwas dumpfer klangen die Stimmen von Genja und Taras-Takis. Der Sprachmelodie nach hätte man meinen können, dass Vera das Gespräch dominierte.

Als sie sich schließlich zu mir setzte, seufzte sie tief und nickte.

»Hier ist einiges aus dem Ruder gelaufen«, flüsterte sie, wobei sie zur Küchentür schaute.

Nach ein paar Minuten, die in schweigender Erwartung vorübergingen, kam Taras-Takis mit einem

Tablett herausgeeilt. Vor uns wurde je ein großer flacher Teller hingestellt, auf den ein raffiniertes Dessert wie hingemalt war. Pfefferminzblättchen, eine kandierte Sauerkirsche, an die ein paar Linien mit einer süßen, zähflüssigen roten Sauce angefügt waren. Und an der Seite der Komposition, die in ihrem Zentrum an unseren kleinen Planeten erinnerte, drehte sich nicht weit von der Erde entfernt, auf einer eiförmigen Umlaufbahn, eine große rosarote Kugel Apfelsinensorbet.

»Ein richtiges Mahl verspeist man zuerst mit den Augen«, sagte Vera, und in ihren Augen glomm ein romantischer Funke auf. Mir war klar, dass sie gerade eben Dymitsch zitiert hatte.

»Sind das Ihre Brüder?«, fragte ich in Richtung der Küchentür nickend.

»Wie kommen Sie denn darauf?«, fragte Vera verwundert.

Ich nahm einen kleinen Löffel voll Sorbet, ließ ihn auf der Zunge zergehen und spürte das schmelzend zarte Aroma.

»Ich wusste ja nicht, dass Sie die Nichte von Dymitsch sind … Deshalb frage ich, vielleicht ist ja das Ganze ein Familienbetrieb?«

»Es wird ein Familienbetrieb«, sagte Vera ruhig nickend. »Wenn diese beiden heiraten und Sie adoptieren …«

»Das finde ich überhaupt nicht witzig«, sagte ich mit entschiedenem Kopfschütteln.

»Jetzt seien Sie mal nicht beleidigt«, meinte Vera lächelnd. »Ich habe in den letzten Tagen so viel Nicht-Witziges gehört, dass mein Gefühl für Humor anscheinend gar nicht mehr zurückkommen will... Und Taras und Genja... Die sind ja anscheinend nicht mal schwul! Sie haben nur früher in einem Nachtclub für Schwule gearbeitet, und sie hatten den Job bloß bekommen, weil sie sich für schwul ausgegeben hatten. Und jetzt können sie nicht mehr anders. Scheint süchtig zu machen, das Getue!«

»Na, das ist ja kurios«, entfuhr es mir.

»Was ist kurios?«

»Sie sind offensichtlich doch nicht die Geliebte von Dymitsch, die beiden sind doch nicht schwul! Bleibe bloß noch ich –«, sagte ich lachend. »Wer bin dann also ich?«

Vera lachte mit den Augen.

»Das werden wir bald geklärt haben!«, sagte sie im beruhigenden Ton eines guten Arztes. »Möchten Sie Kaffee? Oder lieber Tee?«

»Tee«, sagte ich.

Das vierte Abendessen erschien mir im Vergleich zum dritten einfach und deftig. Aber immerhin nannte sich der Hauptgang ›Kalbfleisch auf portugiesische Art mit Schweizer Rösti‹. Und Taras-Takis reichte dazu einen merkwürdigen Salat aus marinierten Gemüsen. Man hätte meinen können, dass dies ein fertiger Wintersalat aus dem Gemüsegeschäft um die Ecke wäre, wenn nicht ein paar Stücke frischer Mango und kleingehackte Pfefferkörner darin gewesen wären.

Ich begann mein einsames Abendessen mit einem kleinen finnischen Wodka, aber dann gesellte sich traditionsgemäß Vera zu mir. An diesem Abend, der mir die feierliche Eröffnung des Geheimnisses – oder die Enthüllung eines Verbrechens – bringen sollte, trug ich meinen besten Anzug, eine dunkelblaue Kordsamtkombination. Zum schwarzen Leinenhemd hatte ich ein schmales, im ukrainischen Folklorestil besticktes Halstuch herausgesucht, das ich nicht zu einem Knoten band – ich konnte das nicht ausstehen –, sondern einfach unter dem Hemdkragen um den Hals legte.

Auch Vera kam heute sehr flott daher: Sie hatte den bordeauxroten Minirock an, den sie früher immer getragen hatte, und dazu einen flauschigen rosafarbenen Pulli. Und erst die Frisur! Zum ersten Mal bemerkte ich, wie schön ihr Haar war. Auch wenn mir ihre Frisur leicht altmodisch erschien, so passte sie doch zweifellos wunderbar zum Oval ihres Gesichtes: Die Haare waren sorgfältig hinter die Ohren gekämmt, doch ein paar Strähnen hatten sich wie zufällig losgerissen und klebten an den Wangen, was nur den durchdringenden Blick aus ihren geschminkten Augen unterstrich. Es war der Stil der dreißiger Jahre.

Vera teilte nur das Dessert mit mir, das sich – ähnlich dem übrigen Menü – heute nicht durch Raffinesse auszeichnete. Es war eine einfache *Crème brûlée*, mit einer Kruste in der Farbe eines Cappuccino. Aber der Geschmack erfreute mich ausgesprochen. Ich hätte mich wohl noch länger an diesem Geschmack erfreut, wenn nicht in dem Moment aus der Küchentür ein mir völlig unbekannter Mann getreten wäre, der wohl so um die fünfzig war. Es war ein fast zwei Meter großer ungeschlachter Kerl im dunklen Anzug, mit weißem Hemd und langweiliger Krawatte. Er nickte Vera mit vorsichtig fragendem Blick zu. Sie wies ihm mit den Augen einen leeren Stuhl an unserem Tisch zu. Der Mann trug eine Lederaktentasche in der Hand. Er sah den Stuhl aufmerksam an, bevor er sich schließlich hinsetzte.

»Das ist Pjotr Arkadjewitsch Walzman«, stellte Vera den Hünen vor. »Er ist der zuständige Jurist für den Berufsverband der Köche.«

»Der Berufsverband der Köche?«, fragte ich zurück. »Haben Sie etwas mit dem ›Verband der unabhängigen Chefköche der Ukraine‹ zu tun?«

»Nein«, sagte der Jurist trocken. »Wir haben mit denen nichts zu tun. Wir beschäftigen uns nicht mit Politik, sondern nur mit Kulinarischem.«

Aha! Mir ging ein Licht auf. Also beschäftigte sich der ›Verband der unabhängigen Chefköche der Ukraine‹ mit Politik!

Inzwischen öffnete der Jurist seine Mappe, zog einen transparenten Umschlag mit einem Dokument heraus. Dann sah er mich erwartungsvoll an, als sei nun ich an der Reihe, ein entsprechendes Gegendokument zu zücken.

»Sie führen hier einen Auftrag des Verbandes aus, wenn ich das richtig verstanden habe«, sagte er und leckte sich über die dicken Lippen. »Also das, was ich Ihnen jetzt mitteile und zeige, sind Sie nicht verpflichtet weiterzuleiten. Das betrifft eher Sie als Ihren Auftrag. Verstehen Sie?«

Ich nickte.

Der Jurist holte aus der Hülle ein dunkelblaues Formular mit Stempeln und den roten Ziffern einer Registrierungsnummer. Wieder sah er mich an. Dann fing er an vorzulesen:

»Ich vermache all meinen mobilen und immobilen Besitz, ebenso meine verwandtschaftlichen

und anderen Beziehungen meinem einzigen Sohn, Iwan Wladimirowitsch Solnyschkin, genannt Wanja, unter der Bedingung, dass er bewusst oder unbewusst auf vier Mal verteilt meine Asche nach der Kremierung aufisst. Das Menü und die genaue Beschreibung der Proportionen der zuzubereitenden Gerichte überreiche ich im Beisein des Juristen Pjotr Arkadjewitsch Walzman persönlich meiner Nichte Vera Iwanowna Wolina, die ich beauftrage, meinen Letzten Willen auszuführen. Ich bitte meinen Sohn, Iwan Wladimirowitsch Solnyschkin, nach dem Aufessen meiner Asche meine Schuld als getilgt anzusehen und mir zu verzeihen, dass ich ihn so spät gesucht habe, und bitte ihn, nicht schlecht über mich zu denken.«

Jetzt quietschte die Küchentür, und Vera warf einen bösen Blick in Richtung Küche.

Auch der Jurist sah hin und räusperte sich. Aber dann kehrte sein Blick zu dem Testament zurück.

»Datum und Unterschrift«, las er zu Ende und drehte sich zu Vera um.

»Wurde der Letzte Wille des Verstorbenen vollständig ausgeführt?«, fragte er.

Sie nickte und wandte den Blick zu mir.

»Was, ich bin sein Sohn?!«, brach es aus mir heraus.

»Ja«, sagte Vera. »Dymitsch hat mir die Dokumente überlassen, die das bestätigen. Morgen zeige ich sie Ihnen ...«

»Und ... habe ich tatsächlich seine Asche gegessen?!«

Vera nickte. Der Jurist, der ihr Nicken genau beobachtet hatte, lächelte befriedigt und schob das Dokument in die Hülle zurück.

»Wanja«, sagte Vera plötzlich liebevoll. »Du musst dich gut ausschlafen ... Und morgen werden wir zusammen entscheiden, wie es weitergehen soll ... Geh jetzt nach Hause!«

Draußen regnete es leicht. Ich hätte ein Taxi nehmen sollen, dann wäre ich bereits zu Hause und hätte mich in der Badewanne aufgewärmt oder in der Küche einen Tee getrunken. Aber mir war so seltsam ums Herz. Ich schlurfte mit meinen besten Stiefeln durch die abendlichen Pfützen, und in meinem Kopf spulte sich immer derselbe Satz ab: ›Ich habe meinen Vater aufgefressen!‹

Erst nach Mitternacht kam ich zu Hause an. Ich nahm Regenmantel und Hut ab und ging in die Küche. Da traf es mich fast wie ein Schlag auf den Kopf: Ich wusste ja immer noch nicht, wie er gestorben war! Zwar hatte ich keine großen Hoffnungen, Vera noch im Restaurant zu erwischen, aber ich ging trotzdem zum Telefon. Und seltsamerweise war Vera noch dort.

»Woran er gestorben ist?«, fragte sie ruhig nach. »An Magenkrebs ...«

Am nächsten Morgen, als ich mich schon auf den Weg ins Restaurant zu Vera machen wollte, zog ich einen länglichen Umschlag aus meinem Briefkasten. Der Absender war die ›Vereinigung der unabhängigen Chefköche der Ukraine‹. Im Umschlag befand sich eine schön geprägte Einladung zu einer Ausstellung der Errungenschaften der kulinarischen Künste mit dem wohltönenden Namen: ›Zehnjähriges Jubiläum der Unabhängigkeit der ukrainischen Kochkunst!‹ Die Ausstellung stand unter dem Patronat der Enkelin des ukrainischen Präsidenten ...

Ich erstarrte. Die Einladung erinnerte mich daran, dass ich am Morgen etwas sehr Wichtiges vergessen hatte: Ich ging in die Wohnung zurück und machte mich daran, mir mit aller Sorgfalt die Zähne zu putzen.

Jaroslav Hašek

Gerettet

Es ist vollkommen belanglos zu wissen, warum Pátal gehängt werden sollte. Welches sein Verbrechen auch sein mochte, er konnte doch ein Lächeln nicht unterdrücken, als der Kerkermeister in der Nacht vor jenem Morgen, an dem er ordnungsgemäß hingerichtet werden sollte, eine Flasche Wein und ein ordentliches Stück Kalbsbraten in seine Zelle brachte.

»Das gehört mir?«

»Jawohl«, entgegnete der Kerkermeister mitleidig, »lassen Sie sich's zum letzten Male gut schmecken. Es gibt auch noch Gurkensalat. Ich konnte nicht alles auf einmal tragen. Gleich bin ich wieder hier und bringe auch noch Semmeln mit.

Pátal machte sich's am Tisch bequem und biss schmunzelnd und mit Wonne in den Kalbsbraten. Wie man sieht, war er ein Zyniker, aber sonst ein ganz vernünftiger Mensch, der die Welt noch in den paar Stunden seines Lebens, die ihm der Gerichtshof ließ, genießen wollte.

Ein einziger Gedanke verbitterte ihm ein wenig das Essen, nämlich der, dass alle die Leute, die ihm heute früh vorgelesen hatten, dass sein Gnadengesuch abgelehnt und die Vollstreckung des Urteils um vierundzwanzig Stunden aufgeschoben worden sei, damit sich der Verurteilte entsprechend auf eine gedeihliche Durchführung der Strafe vorbereiten und seine Rechtsangelegenheit in Ordnung bringen könne, dass alle diese Leute, die ihn hängen und hinrichten, die seinem Tode beiwohnen würden, dass alle diese morgen, übermorgen und die folgende Zeit weiterleben und ruhig zu ihren Familien kommen könnten, während er nicht mehr existieren würde.

Er philosophierte also beim Kalbsbraten, und als man ihm die Semmeln und den Gurkensalat brachte, seufzte er und äußerte den Wunsch nach einer Pfeife und nach Tabak. Man kaufte ihm eine Gipspfeife und eine Mischung aus Dreikönigstabak, gewöhnlichem Tabak und Knaster, damit er ein angenehmes Rauchen habe. Der Aufseher reichte ihm sogar selbst Feuer, und dabei erinnerte er ihn an die unendliche Barmherzigkeit Gottes. Wenn schon hier auf Erden alles verloren sei, so doch nicht im Himmel.

Der Verurteilte Pátal bat um eine Portion Schinken und um einen Liter Wein.

»Sie bekommen, was Sie wollen«, sagte der Aufseher. »Menschen wie Ihnen muss man jeden Wunsch erfüllen.«

»Bringen Sie mir auch zwei Leberwürste und eine Portion Sülze. Außerdem möchte ich einen Liter schwarzes Bier.«

»Sie bekommen alles, es wird gleich geholt«, antwortete der Aufseher höflich. »Warum sollte man Ihnen nicht die Freude machen. Das Leben ist zu kurz, als dass man es nicht nach Möglichkeit genießen sollte.«

Als er die gewünschten Sachen gebracht hatte, philosophierten sie zusammen weiter. Pátal erklärte, dass er vollkommen zufrieden sei.

»Sapperlot«, äußerte er, als er alles verschlungen hatte, »jetzt habe ich Appetit auf einen Debrecziner Braten, Gorgonzola-Käse, Ölsardinen und andere gute Sachen.«

»Alles, was Sie sich wünschen, bekommen Sie. Mein Ehrenwort, ich bin froh, dass es Ihnen schmeckt. Ich hoffe, Sie werden sich bis morgen nicht aufhängen. Das werden Sie mir doch nicht antun. Ich sehe aber, Sie sind ein ehrlicher Kerl. Was hätten Sie davon, Herr Pátal, wenn Sie sich aufhängen würden, bevor es von Amts wegen geschieht? Ich sage Ihnen als redlicher Mann, dass Sie es sich nicht so gut zustande bringen werden, mein Ehrenwort, niemals, kein Vergleich! Wollen Sie noch ein Glas Bier, oder zwei? Es ist heute ausgezeichnet. Auf Gorgonzola schmeckt es vorzüglich. Ich bringe also noch zwei Glas, und zu den Ölsardinen und dem Debrecziner Braten werden Sie Wein trinken, lieber Freund; das passt besser zusammen.«

Kurze Zeit später füllte der Duft aller dieser Dinge die Zelle, und inmitten des Reichtums saß Pátal und schmauste mit Appetit bald Käse, bald Ölsardinen und trank dazu Bier oder Wein, was ihm gerade in die Hand kam.

Er war in fröhliche Erinnerungen versunken an einen in ähnlichem Luxus und in Freiheit verbrachten Abend auf der Veranda eines Gartenlokals, wo die Äste und Blätter vor den Fenstern im Sonnenglanz schimmerten, und ihm gegenüber hatte ein ebenso dicker Mann wie der Aufseher gesessen, der Wirt dieses Paradieses, ununterbrochen plaudernd und zum Essen und Trinken auffordernd, genau wie dieser Aufseher.

»Erzählen Sie mir Anekdoten«, bat Pátal den Aufseher, und der erzählte ihm eifrig irgendeine neue Anekdote, schweinischen Inhalts, wie er selbst zugab.

Dann wünschte Pátal Obst und Torten oder Feinbäckerei und eine Tasse schwarzen Kaffee.

Sein Wunsch ging in Erfüllung.

Als er auch das bewältigt hatte, erschien der Gefängnisgeistliche, um Pátal zu trösten.

Er war ein fröhlicher Geselle, nicht kurz angebunden, sondern angenehm wie alle Leute, die sich jetzt um ihn sorgten, ihn zum Tode verurteilten und ihn morgen hängen würden; alle hatten sie fröhliche Gesichter und waren im gesellschaftlichen Verkehr sicher sehr angenehm.

»Gott tröste Sie, mein Sohn«, sprach der Gefängnisgeistliche und klopfte ihm auf die Schulter. »Morgen früh ist es vorbei, verzweifeln Sie nicht. Beichten Sie, und blicken Sie fröhlich in die Welt im Vertrauen auf Gott, denn Gott freut sich über jeden Sünder, der Buße tut. Es gibt Menschen, die nicht beichten und dann die ganze Nacht umherlaufen und stöhnen; ich weiß, dass es nicht angenehm ist, wenn einem der Kopf zu bersten droht, aber wer gebeichtet hat, der schläft auch die letzte Nacht den Schlaf des Gerechten, der fühlt sich wohl! Ich sage Ihnen noch einmal, mein Sohn, dass auch Sie sich wohl fühlen werden, wenn Sie Ihre Seele von der Sünde befreien.«

In dem Augenblick erblasste Pátal, sein Magen rebellierte, es war ihm schrecklich übel, und er übergab sich. Das ging jedoch nicht so richtig, er bekam Magenkrämpfe, und kalter Schweiß trat auf seine Stirn.

Der Gefängnisgeistliche erschrak. Neue Krämpfe stellten sich ein. Pátal krümmte sich vor Schmerzen in der Ecke.

Aufseher trugen ihn ins Gefängniskrankenhaus. Die Gerichtsärzte schüttelten die Köpfe. Abends bekam er einen Fieberanfall, und um zwölf Uhr nachts erklärten die Ärzte seinen Zustand für bedenklich und gaben einmütig an, dass es sich hier um eine Vergiftung handle.

Schwerkranke Verurteilte werden nicht gehängt, man unterließ es deshalb in dieser Nacht, den Galgen zu bauen.

Stattdessen spülte man Pátal den Magen aus, und die Analyse der Speisereste ergab Leichengift in den Teilen der Leberwurst, die sich auf einer Schüssel unter den anderen aus Pátals Magen hochgepumpten und unverdauten Resten befanden.

Man nahm an, dass die Leberwürste sich durch die Wärme chemisch aufgelöst hatten und dass das entstandene Leichengift Ursache der schweren Erkrankung geworden sei.

Unverzüglich wurde in der Fleischerei, die jene Leberwurst geliefert hatte, eine Untersuchung durchgeführt und gefunden, dass der wackere Fleischer die Gesundheitsvorschriften insofern zu missachten pflegte, als er die Leberwürste nicht aufs Eis legte. Die Angelegenheit wurde dem Staatsanwalt übergeben, und der leitete wegen Gefährdung der körperlichen Sicherheit die notwendigen Schritte gegen den Fleischer ein.

Unter den Gerichtsärzten, die Pátal behandelten, befand sich ein junger, strebsamer Arzt, der mit Interesse die Krankheit studierte und eifrig bemüht war, Pátal am Leben zu erhalten, denn der Fall war äußerst schwierig und interessant.

Tag und Nacht pflegte er Pátal sorgfältig, und so konnte er ihm nach vierzehn Tagen erfreut auf die Schulter klopfen und ihm mitteilen: »*Sie sind gerettet.*«

Am nächsten Tag hängte man Pátal ordnungsgemäß auf, denn seine körperliche Verfassung konnte bereits den Strang vertragen.

Der Fleischer jedoch, der durch seine Leberwürste Pátals Leben um vierzehn Tage verlängert hatte, wurde wegen Verstoßes gegen die körperliche Sicherheit zu drei Wochen schweren Kerkers verurteilt.

Der Arzt, der Pátal das Leben gerettet hatte, erhielt vom Gerichtshof eine Belobigung.

Saki

Der wunde Punkt

»Du kommst gerade von Adelaides Beerdigung zurück, nicht wahr?«, begrüßte Sir Lulworth seinen Neffen. »Ich nehme an, sie war wie die meisten Beerdigungen?«

»Ich werde dir beim Essen ausführlich davon berichten«, sagte Egbert.

»Das wirst du hübsch bleiben lassen. Es wäre sowohl dem Andenken deiner Großtante als auch dem Essen gegenüber respektlos. Es gibt nämlich zum Auftakt spanische Oliven, dann Borschtsch, dann noch einmal Oliven und das eine oder andere Geflügel, dazu einen recht passablen Rheinwein, der für hiesige Verhältnisse gar nicht mal teuer und dennoch auf seine Art durchaus erfreulich ist. Du siehst, es gibt absolut nichts in diesem Menü, was auch nur im Geringsten mit dem Thema deiner Großtante Adelaide oder ihrer Beerdigung harmonieren würde. Sie war eine reizende alte Dame mit einer für ihre Bedürfnisse sicherlich ausreichenden Intelligenz, aber irgendwie erinnerte sie mich immer an das, was englische Köche sich unter Madras-Curry vorstellen.«

»Sie pflegte dich ein Lästermaul zu nennen«, sagte Egbert in einem Tonfall, der ahnen ließ, dass er diesem Urteil beipflichtete.

»Mag sein, dass ich sie einmal arg schockiert habe, als ich ihr erklärte, dass klare Suppe im Leben wichtiger sei als klare Verhältnisse. Sie hatte halt wenig Sinn für Prioritäten. Dabei fällt mir ein – es stimmt doch, dass sie dich zu ihrem Haupterben eingesetzt hat?«

»Ja«, sagte Egbert, »und außerdem zum Testamentsvollstrecker. Vor allem in diesem Zusammenhang hätte ich dich gern gesprochen.«

»Geschäftliches war noch nie meine Stärke«, sagte Sir Lulworth, »und so kurz vor dem Essen schon gar nicht.«

»Es ist eigentlich auch nichts Geschäftliches«, erläuterte Egbert, während er seinem Onkel in das Esszimmer folgte, »sondern etwas Ernstes. Etwas sehr Ernstes sogar.«

»Dann können wir unmöglich jetzt darüber reden«, sagte Sir Lulworth; »niemand kann beim Borschtsch ernsthafte Gespräche führen. Ein vorzüglich zusammengestellter Borschtsch, wie du ihn gleich erleben wirst, sollte nicht nur jede Unterhaltung verstummen lassen, sondern auch jeden

Gedanken an etwas anderes auslöschen. Später, wenn wir beim zweiten Gang Oliven angelangt sind, wäre ich durchaus bereit, über die neue *Borrow*-Biographie zu plaudern, oder, wenn dir das lieber ist, über die gegenwärtige Situation im Großherzogtum Luxemburg. Aber ich lehne es entschieden ab, über irgendetwas auch nur halbwegs Geschäftliches zu reden, bevor wir den Hauptgang beendet haben.«

Den größeren Teil der Mahlzeit über hüllte Egbert sich in das abwesende Schweigen eines Mannes, dessen Gedanken um ein einziges Thema kreisen. Erst als der Kaffee gereicht wurde, unterbrach er die Erinnerungen seines Onkels an den Hof in Luxemburg.

»Ich glaube, ich sagte schon, dass Großtante Adelaide mich zu ihrem Testamentsvollstrecker gemacht hat. Es gab zwar nicht viele Rechtsangelegenheiten zu erledigen, aber ich musste natürlich alle ihre Papiere durchsehen.«

»Das allein dürfte eine mühselige Aufgabe gewesen sein. Ich nehme an, dass jede Menge Briefe von Verwandten darunter waren.«

»Bündelweise, und die meisten höchst uninteressant. Nur bei einem dieser Päckchen hatte ich das Gefühl, etwas sorgfältiger hinschauen zu sollen. Das war der Briefwechsel mit ihrem Bruder Peter.«

»Dem Kirchenmann, der so tragisch ums Leben kam?«, fragte Lulworth.

»Tragisch – du sagst es. Eine Tragödie, die nie ganz aufgeklärt wurde.«

»Wenn du mich fragst, war die einfachste Erklärung zugleich auch die richtige«, sagte Sir Lulworth; »er glitt auf der Steintreppe aus, kam zu Fall und erlitt einen Schädelbruch.«

Egbert schüttelte den Kopf. »Die Autopsie ergab, dass die Kopfverletzung nur von einem Schlag herrühren konnte, den ihm jemand von hinten versetzt haben muss. Bei einem Aufprall auf die Stufen hätte die Fraktur unmöglich in diesem Bereich des Hinterkopfes verlaufen können. Sie haben mit einer Puppe alle nur denkbaren Fallvarianten durchgespielt.«

»Aber das Motiv!«, rief Sir Lulworth. »Niemand hatte ein Interesse daran, ihn aus dem Weg zu räumen, und die Zahl derer, die anglikanische Würdenträger aus schierer Lust am Töten ins Jenseits befördern, dürfte äußerst begrenzt sein. Natürlich gibt es Leute von unausgeglichener Wesensart, die so etwas tun, aber die machen in aller Regel kein Hehl daraus, sondern brüsten sich gar noch damit.«

»Man verdächtigte den Koch«, sagte Egbert knapp.

»Ich weiß«, sagte Sir Lulworth, »aber nur, weil er als Einziger in der Nähe war, als das Unglück geschah. Und was könnte absurder sein, als Sebastien einen Mord anhängen zu wollen? Durch den Tod seines Arbeitgebers hatte er nichts zu gewinnen, sondern, im Gegenteil, eine Menge zu verlieren. Der Domkapitular zahlte ihm ein ebenso hohes Salär, wie ich es ihm anbieten konnte, als ich ihn in meine Dienste übernahm. Ich habe es seitdem auf einen Betrag erhöht, der dem, was er wirklich wert ist, etwas näher kommt, aber damals war er froh, eine neue Stelle zu finden, und verschwendete keinen Gedanken an eine Gehaltserhöhung. Die Leute mieden ihn, und er hatte keine Freunde in diesem Land. Nein, wenn irgendwem auf dieser Welt an einem langen Leben und ungestörter Verdauung des Domkapitulars gelegen sein musste, dann war es zweifellos Sebastien.«

»Es gibt Leute, die die Konsequenzen ihrer vorschnellen Handlungen nicht immer abwägen«, sagte Egbert, »andernfalls würden weit weniger Morde begangen. Und Sebastien ist ein Mann von hitzigem Temperament.«

»Er ist Südländer«, räumte Sir Lulworth ein; »um exakt zu sein: meines Wissens stammt er aus dem französischen Teil der Pyrenäen. Das habe ich ihm zugutegehalten, als er neulich den Gärtnerjungen beinahe umgebracht hätte, weil der ihm statt Sauerampfer irgendein dubioses Grünzeug besorgt hatte. Man muss stets die Herkunft eines Menschen berücksichtigen, sein Heimatland und die Einflüsse seiner frühen Kindheit. ›Sag mir, aus welchen Breiten du stammst, und ich kenne dich gleich um Längen besser‹ – das ist mein Motto.«

»Na bitte«, sagte Egbert, »er hätte also fast den Gärtnerjungen umgebracht.«

»Mein lieber Egbert, es ist ein himmelweiter Unterschied, ob man einen Gärtnerjungen fast oder einen Domkapitular ganz umbringt. Ich bin sicher, auch du hast schon mehr als einmal das spontane Bedürfnis verspürt, einen Gärtnerburschen umzubringen, aber du hast dem nie nachgegeben, und ich weiß deine Selbstbeherrschung zu schätzen. Aber ich glaube nicht, dass es dir je in den Sinn gekommen wäre, einen achtzigjährigen Domkapitular umzubringen. Außerdem hat es, soviel wir wissen, nie irgendeine Auseinandersetzung oder Meinungsverschiedenheit zwischen den beiden Männern gegeben. Das haben die Zeugenvernehmungen ganz zweifelsfrei ergeben.«

»Eben!«, sagte Egbert mit der Miene eines Mannes, der das Gespräch endlich auf den Punkt gebracht hat, auf den er schon die ganze Zeit hinsteuert. »Genau darüber wollte ich mit dir sprechen.«

Er schob die Kaffeetasse beiseite und zog aus der Innentasche seines Jacketts eine Brieftasche hervor. Aus den Tiefen der Brieftasche förderte er einen Umschlag zutage und aus dem Umschlag einen Brief, der in einer kleinen, akkuraten Handschrift geschrieben war.

»Einer der zahlreichen Briefe des Domkapitulars an Tante Adelaide«, erläuterte er, »geschrieben wenige Tage vor seinem Tod. Ihr Gedächtnis ließ schon stark nach, als sie ihn erhielt, und ich nehme an, dass sie den Inhalt wieder vergaß, kaum dass sie ihn gelesen hatte; andernfalls hätten wir angesichts dessen, was im Folgenden geschah, von diesem Brief bestimmt schon früher erfahren. Wenn er bei den Ermittlungen vorgelegt worden wäre, hätten die Dinge vermutlich einen ganz anderen Verlauf genommen. Wie du eben selbst gesagt hast, hatten die Vernehmungen den Verdacht gegen Sebastien entkräftet, weil sie nicht den geringsten Anhaltspunkt für ein Motiv oder einen Anlass zu dem Verbrechen ergaben, falls es denn ein Verbrechen war.«

»Nun lies schon vor«, sagte Sir Lulworth ungeduldig.

»Es ist ein langer, weitschweifiger Brief, wie die meisten seiner letzten Jahre«, sagte Egbert. »Ich lese nur den Teil, der mit dem rätselhaften Vorfall unmittelbar zu tun hat.«

Ich fürchte, ich werde mich von Sebastien trennen müssen. Er kocht göttlich, aber er hat das Temperament eines Besessenen oder Gorillas, und ich habe wahrhaft körperliche Angst vor ihm. Neulich hatten wir uns darüber gestritten, welches Essen zu Aschermittwoch angebracht sei, und seine Arroganz und Sturheit machten mich so wütend, dass ich ihm schließlich eine Tasse Kaffee ins Gesicht schüttete und ihn zugleich einen eingebildeten Lackaffen nannte. Von dem Kaffee bekam er zwar nicht viel ab, aber noch nie habe ich ein menschliches Wesen einen so beklagenswerten Mangel an Selbstbeherrschung an den Tag legen sehen. Ich lachte über seine Drohung, mich umzubringen, die er in seiner Wut gezischt hatte, und glaubte, die Sache würde sich wieder einrenken. Aber seitdem habe ich ihn mehrfach dabei ertappt, wie er auf höchst unangenehme Weise vor sich hin murmelt und mir finstere Blicke zuwirft, und in letzter Zeit habe ich das Gefühl, dass er mir überall nachschleicht, vor allem, wenn ich meinen Abendspaziergang im Italienischen Garten machte.

»Die Leiche wurde auf den Stufen im Italienischen Garten gefunden«, merkte Egbert an und nahm die Lektüre wieder auf.

Wahrscheinlich bilde ich mir die Gefahr nur ein, aber ich werde mich wohler fühlen, sobald er meine Dienste verlassen hat.

Am Ende dieses Abschnitts hielt Egbert einen Augenblick inne; als sein Onkel nichts sagte, fügte er hinzu: »Wenn es allein das fehlende Motiv war, das Sebastien vor der Strafverfolgung bewahrt hat, dann könnte ich mir vorstellen, dass dieser Brief ein ganz anderes Licht auf die Sache werfen würde.«

»Hast du ihn schon irgendwem sonst gezeigt?«, fragte Sir Lulworth und streckte die Hand nach dem belastenden Schriftstück aus.

»Nein«, sagte Egbert und reichte es über den Tisch, »ich fand, ich sollte zuallererst dir davon erzählen. Um Himmels willen, was machst du denn da?«

Egberts Stimme erhob sich fast zu einem Schrei. Sir Lulworth hatte das Papier kurzerhand mitten in die Glut des Kaminfeuers geworfen. Die kleine, akkurate Handschrift kräuselte sich zu einem flockigen Nichts.

»Warum in aller Welt hast du denn das getan?«, japste Egbert. »Dieser Brief war das einzige Beweisstück, das Sebastien mit dem Verbrechen in Verbindung brachte.«

»Eben deshalb habe ich ihn vernichtet«, sagte Sir Lulworth.

»Aber warum willst du den Mann denn decken?«, rief Egbert. »Er ist doch ein gewöhnlicher Mörder!«

»Ein gewöhnlicher Mörder vielleicht, aber ein ganz ungewöhnlicher Koch.«

Ingrid Noll

Fisherman's Friend

Ausgerechnet auf diesen blöden Anglerfesten lernte ich die Männer kennen. Schon als kleines Mädchen mussten Mutter und ich einmal im Jahr mit den Sportsfreunden meines Vaters und ihren Familien ein Sommerfest feiern, als ob es zu Hause nicht oft genug Fisch gegeben hätte.

Die Frauen bereiteten Kartoffelsalat, Streuselkuchen und andere kulinarische Höchstleistungen zu, die Männer sorgten für Bier vom Fass und gegrillten Fisch. Die Kinder spritzten sich mit Wasserpistolen nass und heulten, wenn sie von einer Wespe gestochen wurden. Es wurde gefressen, gesoffen, gegrölt und geschwoft, aber immer im Rahmen einer gewissen Zucht und Ordnung. Das Ganze fand im Vereinshaus am See statt, bei schönem Wetter auf den Wiesen am Bootssteg. Unter Lampions habe ich Eugen kennengelernt, später den Ulli.

Damals war ich siebzehn und dumm wie Bohnenstroh. Ich kapierte nicht, dass Eugen sich nur deshalb an mich heranmachte, weil ihn die Torschlusspanik erwischt hatte; er war fast vierzig, und noch keine Frau hatte bis jetzt angebissen. Ich empfand sein Alter als Auszeichnung. Ein Mann, der fast so alt und konservativ wie mein Papa war und ausgerechnet mich bevorzugte, das war eine Gnade. Eugen war klein und mickrig, weder witzig noch interessant, aber wenigstens ein bisschen reich. Er besaß ein alteingesessenes Fachgeschäft für Schirme, Handschuhe und Hüte. Bisher hatte ich nur Omas gestrickte Fäustlinge getragen, von da an wurde ich die Besitzerin einer Kollektion feinster Lederhandschuhe.

Meine Eltern waren nicht viel klüger als ich, denn sie hielten Eugens Werbung ebenfalls für einen Glücksfall. Nicht lange fackeln, zugreifen!, empfahlen sie. Ich war damals nämlich nicht bloß unbedarft, auch meine berufliche Karriere als Briefträgerin sah nicht vielversprechend aus.

Mit achtzehn war ich verheiratet, mit neunzehn Mutter. Anfangs sollte ich im Laden helfen, aber schon nach den ersten Versuchen hatte ich keine Lust mehr. Weil ich von Tuten und Blasen keine Ahnung hatte, nahmen mich die Verkäuferinnen als Chefin nicht ernst. Es verletzte mich, dass hinter meinem Rücken über mich getuschelt wurde, und zwar nicht gerade positiv. Wahrscheinlich habe ich Eugen so mit meinem Gejammer genervt, dass er mich nie mehr im Laden sehen wollte. Ich blieb also zu Hause, hatte mit Haushalt und Kind genug zu tun und war anfangs fast zufrieden.

Es dauerte eine Weile, bis ich Eugen näher kennenlernte. Seine Hobbys waren Angeln und Autofahren. Er besaß einen Landrover für den Sport und einen dicken Mercedes für die Stadt. Da er sehr klein war, trug er stets karierte Hüte aus dem eigenen Geschäft, damit wenigstens ein Stückchen Eugen hinterm Steuerrad zu sehen war. Morgens war er der Erste und abends der Letzte im Laden. Wenn er heimkam, wollte er essen, fernsehen, die ADAC- oder Angler-Zeitung lesen und es sich in Pantoffeln und Bademantel gemütlich machen. Falls es nicht in Strömen goss, verbrachte er die Wochenenden in reiner Männergesellschaft am See. Nachdem er so rasch einen Erbprinzen gezeugt hatte, schien ihn die Lust verlassen zu haben, noch einen zweiten Angler in die Welt zu setzen.

Eugen wusste aber, dass eine junge Frau im Allgemeinen gewisse Ansprüche stellt, und hatte ein latent schlechtes Gewissen. Daher verhielt er sich in finanzieller Hinsicht sehr großzügig. Ich bekam ein reichliches Taschengeld und konnte mir Kleider, Kosmetika, Schuhe und Handtaschen nach Herzenslust kaufen, ohne dass er je gemeckert hätte.

Ja, er war geradezu stolz, dass sich der kleine braune Spatz an seiner Seite zu einem Goldfasan mauserte. Gelegentlich gingen wir zusammen essen, dann genoss er es, dass ich sowohl bei Männern als auch bei Frauen Aufsehen erregte. Zur Geburt unseres Sohnes schenkte er mir eine Perlenkette, zum fünften Hochzeitstag einen Pelzmantel. Nicht gerade originell, aber gut gemeint.

Durch mein verändertes Aussehen – abgesehen von den schicken Klamotten war ich auch selbst hübscher geworden – wuchsen mein Selbstbewusstsein und meine Unternehmungslust. Täglich ging ich mit dem Kleinen nachmittags in den Schlosspark, ließ ihn ein wenig auf dem Spielplatz tollen und besuchte anschließend das Schlosscafé. Jonas löffelte ein großes Eis, ich trank einen doppelten Espresso. Leider waren um diese Zeit meistens ältere Damen oder Mütter mit Kindern unterwegs, so dass ich keine Gelegenheit hatte, mit einem Mann anzubändeln.

Aber auf dem nächsten Anglerfest geschah es. Ich hatte den Ulli bereits gekannt, als wir beide noch Kinder waren, aber dann zog seine Familie fort. Ulli hatte Abitur gemacht und war Textilingenieur geworden. Vor kurzem hatte er seine erste Stelle in der hiesigen Weberei angetreten.

Er war das Gegenteil von Eugen. Jung, hübsch,

groß und stark, lustig und kein bisschen langweilig. Natürlich waren alle Mädels scharf auf ihn, ich rechnete mir keine großen Chancen aus. Manchmal kommt einem aber das Schicksal zu Hilfe. Ulli suchte einen gebrauchten Wagen, Eugen wollte seinen Landrover verkaufen. Sie verabredeten sich für den nächsten Sonntag bei uns.

Ich hatte Kaffee gekocht und mich hübsch gemacht, obgleich man mich bei der Probefahrt sicher nicht mitnehmen würde. Aber ich hatte ein zweites Mal Glück: Kurz bevor Ulli eintraf, rief die Polizei an. In der Samstagnacht war in Eugens Laden eingebrochen worden. Mein Mann fuhr sofort hin, um den Schaden zu begutachten; ich sollte unterdessen den Gast bewirten, in die Garage führen und ihm den Wagen zeigen. Unser Kleiner übernachtete am Wochenende stets bei meinen Eltern – »damit ihr ausschlafen könnt«, sagten sie. Wahrscheinlich verbanden sie mit diesem Angebot die Hoffnung auf eine Enkelin.

Ulli wollte den Wagen nicht bloß anschauen, sondern auf einer Geländefahrt testen. Wir stiegen ein, fuhren in den Wald, hielten an und küssten uns. Dann ging es wortlos wieder zurück. Als der geplagte Eugen heimkam, bemerkte er nicht, wie aufgeregt ich war, denn ich hatte mich wahrscheinlich zum ersten Mal im Leben verliebt.

Von da an war ich nicht mehr zu bremsen. Zweimal in der Woche lieferte ich Jonas am Nachmittag bei meinen Eltern ab und besuchte Ulli gegen fünf Uhr in seiner Wohnung. Wenn Eugen um sieben nach Hause kam, war ich schon wieder da. Natürlich waren meine illegalen Ausflüge riskant. In einer mittelgroßen Stadt wie der unseren blieb es Ullis Nachbarn wohl kaum verborgen, wer ihn so häufig besuchte. Es war nur eine Sache der Zeit, wann man Eugen im Geschäft oder beim Stammtisch gehässige Andeutungen machen würde.

Seit ich Ulli liebte, konnte ich meinen Mann nicht mehr ausstehen. Ich malte mir anfangs die Scheidung, später seinen Tod aus. Die zweite Version hatte den Vorteil, dass ich eine gute Rente und die Lebensversicherung ausbezahlt bekäme. Ich wäre dann wirtschaftlich unabhängig, denn auf einen gewissen Luxus mochte ich nie mehr verzichten.

Obwohl ich nicht allzu viel Phantasie habe, begann ich, einen Plan aufzustellen, um Ulli gegen Eugen systematisch aufzuhetzen. In Phase I stellte ich mich als Heilige dar, die einem Sadisten schutzlos ausgeliefert war. Ullis Ritterlichkeit wurde geweckt, ebenso sein Mitleid. Er wollte mich durch Entführung aus des Teufels Fängen erretten. In Phase II wurde ich konkreter: Ich setzte Ulli die

Heirat als Lösung allen Unheils in den Kopf und deutete an, dass mich Eugen im Falle einer Scheidung völlig über den Tisch ziehen würde. Meinem Lover war es nach reiflichem Überlegen natürlich lieber, eine begüterte Frau zu bekommen. Phase III zielte direkt auf die Bedrohung unseres Lebens: Sollte Eugen von unserer Beziehung erfahren, würde er uns wahrscheinlich beide umbringen.

Ulli war – ich sagte es schon – ein schöner, starker, großer Junge, aber nicht übermäßig intelligent. Er glaubte mir alles und sah ein, dass wir Eugen zuvorkommen müssten.

Mein Mann wunderte sich, als ich ihn eines Abends über seine Angelgründe ausfragte. »Seit wann interessierst du dich für meine Hobbys?«, fragte er und erzählte mir dann, dass er kürzlich einen kleinen See im Odenwald entdeckt hätte, wo er in völliger Einsamkeit wundervolle Fische an Land zöge. Das sei aber wie beim Pilzsuchen, er werde sein Geheimplätzchen keiner Menschenseele verraten. »Aber mir kannst du es schließlich sagen, ich bin ja keine Rivalin! Nimm uns doch einmal mit«, bat ich, »für unseren Jungen wäre das ein Paradies …« Bis jetzt hatte unser Jonas wenig Freude am Angeln gefunden, er war noch zu klein, um stundenlang stillzusitzen und ins Wasser zu glotzen. Eugen war zwar nicht begeistert, aber er sah ein, dass er seinen Sohn allmählich an die männlichen Freuden der Wildnis gewöhnen musste.

Der kleine See war wirklich nicht leicht zu finden, man musste auf Feldwegen und durch matschige Wiesen fahren, aber der neue Geländewagen schaffte das spielend. Ich saß mit Jonas im Fond und machte mir heimlich Notizen und kleine Zeichnungen. Fast bedauerte ich es, dass ich Eugen nie auf seinen sonntäglichen Ausflügen begleitet hatte. Es war zauberhaft hier. Obgleich es noch früh im Jahr und reichlich kühl war, kam die Sonne doch ein paarmal heraus, leuchtete über das stille Wasser und wärmte uns. Wildenten ließen sich kaum stören, Haselkätzchen blühten. Eugen und Jonas setzten sich auf die mitgebrachten Klappstühle und warfen die Angel aus, ich machte einen kleinen Spaziergang. Als ich nach einer Viertelstunde zurückkam, war es dem Kind bereits kalt und langweilig geworden. Jonas saß im Auto und betrachtete Comics.

»Wenn du den Frieden hier draußen einatmest«, sagte Eugen, »kannst du vielleicht besser verstehen, dass sich mein eigentliches Leben nicht bloß im Hutgeschäft abspielt. Hier bin ich Robinson, hier fühle ich mich lebendig.«

Nicht mehr lange, dachte ich, dafür werde ich schon sorgen.

Gemeinsam mit Ulli fuhr ich einige Tage später hinaus und zeigte ihm den verschwiegenen See. »Du musst so tun, als hättest du diese Idylle gerade erst entdeckt, wenn du am nächsten Sonntag auf Eugen triffst. Es wird kein großes Problem sein, ihn versehentlich ins Wasser zu werfen und seinen Kopf bei der ›Rettungsaktion‹ ein wenig unterzutauchen. Vergiss nicht, die hohen Gummistiefel anzuziehen!«

Ulli nickte. Hand in Hand liefen wir um den kleinen See, blieben gelegentlich stehen, um uns zu küssen oder auf irgendeinen Wasservogel aufmerksam zu machen. Ich brach braune Rohrkolben ab, ohne zu bedenken, dass ich sie nicht mit heimnehmen konnte. Plötzlich tauchte ein Förster auf. Was wir hier im Naturschutzgebiet zu suchen hätten? Ob wir die Schilder nicht lesen könnten? Offensichtlich hatte Eugen einen Schleichweg ausfindig gemacht, der abseits aller Hinweise verlief. Wir wurden freundlich ermahnt und nach Hause geschickt. Gegen Liebespaare ist man nachsichtig.

Leider konnte ich Eugen nicht erzählen, dass er auf unerlaubtem Terrain fischen ging. Andererseits konnte es aber sein, dass er das durchaus wusste, ja dass er eine Sondererlaubnis des Försters besaß. Eugen hatte überall hilfsbereite Stammtischkumpel und Sportskameraden, denen er seinerseits beim

Einkauf von Anglerhüten, olivgrünen Schals und fingerfreien Jägerhandschuhen einen guten Rabatt einräumte.

Am nächsten Sonntag wollte Ulli jedenfalls sein Glück versuchen. Jetzt, im Vorfrühling, waren kaum Menschen unterwegs, denen er begegnen konnte. Und falls der Förster wieder auftauchen würde, dann musste er eben kurzfristig umdisponieren.

Den besagten Sonntag verbrachte Jonas wie immer bei meinen Eltern, ich wartete auf Ullis Anruf. Nie hätte ich gedacht, dass ich so durchdrehen könnte, bereits in der vorausgegangenen Nacht hatte ich kein Auge zugetan. Ich konnte nicht essen, trank aber Cognac zur Beruhigung. Im Haus herrschte vollkommene Ruhe, es tat sich absolut nichts. Vergebens wählte ich Ullis Nummer. Allmählich wurde es dunkel, und ich musste Jonas abholen; natürlich durfte ich mich auf keinen Fall anders benehmen als sonst.

Längst war ich mit meinem Sohn wieder daheim und saß mit ihm vorm Fernseher – natürlich ohne irgendetwas von der Sendung mitzubekommen –, als ich Eugens Wagen hörte. Ich rannte an die Haustür.

Ulli und Eugen stiegen in bestem Einvernehmen aus, ließen sich überhaupt nicht von meinem bleichen Antlitz beeindrucken, sondern holten aus dem

Kofferraum eine große Plastiktüte. »Fast zu schade zum Einfrieren«, sagte Eugen, »einen derart riesigen Zander habe ich noch nie rausgeholt, so was nennt man Anfängerglück.« Ulli hatte anscheinend alle unsere Pläne vergessen, denn er präsentierte mir seinen fetten Fisch mit leuchtenden Augen. »Ohne deinen Mann hätte ich das nie geschafft«, versicherte er dankbar.

Während ich Jonas ins Bett brachte, hantierten die beiden Männer in der Küche herum. Sie hatten beschlossen, den Zander auf der Stelle zum Abendessen zuzubereiten. Ulli schälte Kartoffeln, Eugen nahm den Fisch aus und entfernte die Schuppen, zu weiteren küchentechnischen Aufgaben war er allerdings unfähig. Es dauerte nicht lange, da saßen die beiden Angelkumpane biertrinkend im Wohnzimmer, während ich mit Tränen in den Augen den Fisch in der einen, die Kartoffeln in der anderen Pfanne briet. Man hatte mir einen hübschen Haufen schleimiger Eingeweide und sandiger Kartoffelschalen hinterlassen, außerdem verspritzte Kacheln und verschütteten Schnaps. Es stank gen Himmel.

Bald ließen es sich die beiden schmecken; Eugen prahlte mit früheren Erfolgen, Ulli mit dem heutigen Fang. Ich saß dabei, aß keinen Bissen und sprach kein Wort. Die beiden Männer trafen Verabredungen für das nächste Wochenende. Sie waren offensichtlich in kürzester Zeit dicke Freunde geworden.

Natürlich blieb mehr als die Hälfte des kapitalen Fisches übrig, obgleich die Männer wie die Scheunendrescher zugeschlagen hatten. »Den Rest gibt's morgen«, schlug Eugen vor. Ich schüttelte den Kopf; weder Jonas noch ich mochten ständig aufgewärmte Fischreste essen, ich hatte dem Jungen für den nächsten Tag Schnitzel mit Pommes versprochen. »Lieber werde ich alles einfrieren«, sagte ich.

Der Versuchung, den allseitig angesäbelten Fisch in den Mülleimer zu werfen, widerstand ich. Vorsichtig löste ich die Gräten heraus, zog die Haut ab und gab das Fischfleisch in den Mixer. Vermengt mit einem eingeweichten Brötchen, Salz, Curry, Kapern, feingewiegten Zwiebeln und Crème fraîche ergab es appetitliche Fischfrikadellen. Als ich sie gerade braten und anschließend einfrieren wollte, kam mir allerdings die zündende Idee. Behutsam entnahm ich dem Abfalleimer größere und kleinere Gräten und bettete sie liebevoll und unauffällig in die geformten Frikadellen. Dann erst wurde gebraten und gefroren, damit meine sportlichen Männer beim nächsten Ausflug ein Überraschungspicknick mitnehmen konnten. Frischer Salat und gebuttertes Vollkornbrot boten sich als perfekte Ergänzung an.

Man war am nächsten Sonntag gerührt über das zünftige Picknickkörbchen, das ich vorbereitet hatte. Als liebende Gattin und heimliche Geliebte hatte ich außer den mit Salat und Tomaten garnierten Frikadellen noch rotkarierte Servietten, einen Salzstreuer und sogar kleine Schnapsfläschchen eingepackt, obwohl ein richtiger Angler in der Regel den eigenen Flachmann bei sich trägt.

Meine anfängliche Wut auf Ulli war inzwischen einer ungezügelten Rachsucht gewichen. Er hatte es tatsächlich gewagt, nach meinem vorwurfsvollen Anruf den Beleidigten zu mimen. »Dein Mann ist eigentlich sehr nett«, hatte er behauptet, »ich verstehe gar nicht, was du gegen ihn hast! Gott sei Dank hat sich alles anders ergeben, als du es dir ausgedacht hast! Oder hast du etwa im Ernst geglaubt, ich könnte einen Mord begehen?«

An diesem Sonntag musste ich wieder unendlich lange auf ein Lebenszeichen der Angler warten. Ich malte mir die verschiedensten Gräten-Katastrophen aus, die von panikartigem Husten bis zu Erstickungsanfällen führten. Möglicherweise hatten sie jedoch bereits beim ersten Bissen die Gefahr und auch die böse Absicht erkannt und standen in wenigen Minuten mit gezücktem Hirschfänger vor der Tür.

Eugen kam allein und brachte kaum ein »Guten Abend« heraus. Erst auf meine eindringlichen Fragen erfuhr ich, dass Ulli bereits zu Hause war. Auch am anderen Morgen benahm sich Eugen seltsam. Er verließ das Haus allzu zeitig, ohne Frühstück und Gruß. Das Picknickkörbchen war weder in seinem Wagen noch in der Garage zu finden. Obgleich es mein Stolz fast verhinderte, rief ich Ulli im Büro an. Er sei nicht zu sprechen, ließ mir die Sekretärin ausrichten. Als er eigentlich längst zu Hause sein musste, nahm er dort den Hörer nicht ab.

Zwei Tage später las ich in der Zeitung, dass man im Naturschutzgebiet an einem kleinen See im Odenwald einen toten Förster aufgefunden habe. Als Zeuge werde der Inhaber eines Landrovers gesucht, da die Reifenspuren am Ufer von einem solchen Wagen stammen mussten. Ob Unfall oder Mord, könne erst nach der Obduktion festgestellt werden, allerdings würden verschiedene Zeichen auf einen Tod durch Ersticken hinweisen. Rätselhaft sei außerdem der Fund von mehreren Schnapsfläschchen und den Resten eines Picknicks.

Ich stellte Eugen zur Rede. Es müsse sich um den See handeln, den er mir gezeigt habe, es seien auch sicher die Reifenspuren seines Rovers, und das Picknick stamme aus meiner Küche. Ob ihn der Förster bei verbotenem Fischen entdeckt habe?

Eugen brach zusammen. Der Förster bekam regelmäßig eine »Spende« für das unerlaubte Fischen zugesteckt, man kannte und schätzte sich. An jenem verhängnisvollen Sonntag habe man die mitgebrachten Mahlzeiten ausgetauscht. Ulli und Eugen erhielten Kabanossi, Landjäger und Schwarzbrot mit Gänseschmalz, während der Förster sich über die Fischfrikadellen hermachte. Als er nach einem grauenvollen Würge- und Hustenanfall erstickte, ohne dass sie ihm durch Rückenklopfen, Schütteln und Finger-in-den-Hals helfen konnten, waren sie in blinder Panik geflohen. Aber nicht etwa gleich nach Hause, sondern in eine Kneipe ganz in unserer Nähe. »Wir mussten uns erst abreagieren«, erklärte Eugen, der mir noch viel kleiner vorkam als sonst.

Natürlich konnte ich mit keiner Seele über seine Beichte sprechen, denn meine eigene Rolle in diesem Drama durfte auf keinen Fall ans Licht kommen; hoffentlich hielt Ulli dicht.

Wahrscheinlich haben wir die nächste Zeit alle drei unter schweren Träumen gelitten, haben jedes Telefonklingeln und jeden fremden Schritt an der Haustür als Bedrohung gedeutet. Aber nichts geschah, weder Ulli noch die Kripo meldeten sich.

Langsam begann ich, nicht ständig an den toten

Mann am See zu denken, den falschen Ulli aus meinem Gedächtnis zu streichen und mich dem Alltag zuzuwenden. Jonas wurde demnächst eingeschult, eine wichtige Sache für Mutter und Kind.

Mehrere Monate waren verstrichen, als ich den Anruf einer fremden Frau erhielt. »Mein Name tut nichts zur Sache, nennen Sie mich einfach Adelheid«, sagte sie und deutete an, dass sie Dinge wisse, die von großer Wichtigkeit für mich seien. Falls ich das vorgeschlagene Stelldichein nicht einhalte, würde sie ein uns beiden bekanntes Geheimnis an die Öffentlichkeit bringen.

Was blieb mir anderes übrig? In meiner Angst dachte ich allerdings nur, dass es eine Erpresserin sei, die mein Verhältnis mit Ulli – das längst beendet war – meinem Mann verraten wollte. Ich musste wahrscheinlich zahlen.

Jonas war bei meinen Eltern, Eugen war angeln, ich saß in einem Café einer unbekannten Frau gegenüber, wohlweislich nicht in unserem Städtchen, sondern in einer benachbarten Großstadt.

Die so genannte Adelheid ließ hurtig die Katze aus dem Sack. Bei einem doppelten Espresso, warmem Apfelstrudel und einem Klacks Vanilleeis erfuhr ich, dass sie die Frau des verstorbenen Försters war.

Anhand seiner Notizen hatte sie herausgekriegt, von wem die monatliche »Spende« stammte. Ihr Mann hatte sie überdies eingeweiht, dass er sich gelegentlich am See mit einem »Spezi« treffe, dessen Finanzspritze dem geplanten Urlaub in der Karibik zugute komme.

»Als mir die Polizisten den Tod meines Mannes meldeten, brachten sie ein fremdes Picknickkörbchen mit und stellten es mir in die Küche. Während ich den Beamten Kaffee kochte, habe ich den Korb nebst Inhalt untersucht. Ich hatte damals den Verdacht, dass mein Mann vergiftet worden sei, und nahm eine von den zwei Fischfrikadellen heraus. Man hört ja immer wieder, wie schludrig in den Labors gearbeitet wird.«

Wie eine unglückliche Witwe sah die Fremde nicht aus. Gut gekleidet, gut geschminkt, gut erhalten, stellte ich fest, und sie verstand es überdies, lebhaft und fesselnd zu berichten. Aber was wollte sie von mir?

»Die Polizisten nahmen den Korb plus Inhalt wieder mit, als sie erfuhren, dass diese Dinge nicht aus unserem Haushalt stammten. Im Übrigen war mein Verdacht berechtigt, denn bei der chemischen Analyse wurde nur festgestellt, dass kein Gift im Fisch enthalten war. Bei der Obduktion hatte man sofort entdeckt, dass mein Mann letzten Endes an einer Gräte im Hals gestorben war, denn er erstickte an Erbrochenem. Also ein Unfall, Fischfrikadellen können naturgemäß ein paar Gräten enthalten, dachten die klugen Herren.«

»Was habe ich damit zu tun?«, fragte ich und konnte nicht verhindern, dass fieberhafte Röte mein Gesicht überzog.

Sie fuhr fort. »Die Fischfarce ist im Mixer püriert worden, das konnte ich sofort erkennen. Wären Ihnen versehentlich ein paar Gräten hineingeraten, dann wären sie ebenfalls zu Mus geworden, wie jede Hausfrau weiß. Also war klar, dass Sie die Gräten absichtlich, nachträglich und nicht mit liebevollen Gedanken hineinpraktiziert haben.« Ich sah die Fremde jetzt voll an. Sie erwiderte meinen Blick ohne Vorwurf, ja, mit leichter Bewunderung. Schließlich lächelten wir beide.

»Sie haben mir einen großen Gefallen getan«, sagte sie, »denn ich wollte diesen einfältigen Wild- und Wassermann schon lange loswerden; nur hatte er mir bis dahin nicht den Gefallen getan, eine Lebensversicherung abzuschließen. Er meinte, es sei nicht nötig, als Beamtenwitwe sei ich gut versorgt.«

Das war bedauerlich, ich musste es zugeben. »Wie stünden Sie in einem solchen Fall da?«, fragte sie teilnahmsvoll. Stolz konnte ich berichten, dass

Eugen nicht so kleinlich war. Im Falle seines Ablebens war ich bestens abgesichert.

Wir trafen uns noch mehrmals, bis der Plan ausgereift war. Es war schon Sommer, als sie anrief und mit geheimnisvoller Stimme den ängstlichen Eugen an den See lockte. Sie habe dort etwas gefunden, das ihm gehöre.

Merkwürdigerweise vertraute sich Eugen mir an. Die Förstersfrau habe ihn an den See bestellt, wahrscheinlich wolle sie ihn anhand seiner früher gemachten Zahlungen erpressen. Falls er nicht Punkt sieben zurück sei, solle ich Ulli anrufen und meinem Mann zu Hilfe eilen. Leider könne er keinen Freund mitnehmen, denn die Frau habe ausdrücklich verlangt, dass er allein komme.

Im flachen Teil des Sees hatten wir einen von Eugens Hüten über eine Weidenrute gestülpt. Wir lauerten beide im Schilfgürtel, hockten in einem niedrigen Kahn, trugen klobige Männerschuhe, um falsche Spuren zu hinterlassen, und tranken aus dem Flachmann des toten Försters.

Eugen kam pünktlich, wartete in nervöser Aufregung, sah ständig auf die Uhr und entdeckte schließlich den Hut auf der Stange. Er wunderte sich offensichtlich und zögerte mindestens zehn Minuten, bis er sich die hüfthohen Gummistiefel anzog und ins Wasser watete. Wir waren schnell zur Stelle. Mit den Rudern brachten wir ihn zu Fall, hielten seinen Kopf gebührend lange unter Wasser und übergaben ihn dann seinen geliebten Fischen.

Der Urlaub mit Adelheid lässt sich gut an. Wir haben uns schick eingekleidet, und die schönen reichen Männer der Karibik lassen sicher nicht lange auf sich warten.

Doris Dörrie

Mit Messer und Gabel

Meine Mutter behauptet, sie habe es kommen sehen. Schon als kleines Mädchen sei ich so gewesen, unzufrieden und bösartig. Sie kommt zweimal im Monat und bringt mir Nescafé, Zigaretten, Illustrierte, manchmal einen Lippenstift, heute grüne Wimperntusche, das ist jetzt modern da draußen, sagt sie und beißt in einen Apfel.

Ich kann nichts dafür. Wenn meine Mutter einen Apfel isst, macht sie so komische Geräusche, da läuft es mir eiskalt den Rücken runter, ich fange an zu zittern und würde sie am liebsten umbringen.

Das war schon immer so, früher bin ich einfach aus dem Zimmer gegangen. Sie hat mich kalt und herzlos genannt, weil ich, während sie mir ihr Herz über meinen Vater ausgeschüttet hat, einfach aufgestanden und gegangen bin, aber hätte ich ihr sagen sollen, dass es mich anekelt, wie sie einen Apfel isst? Sie kann ja nichts dafür.

Mein Vater hat immer seine Füße aneinander gerieben. Wenn er abends in Hausschuhen vorm

Fernseher saß, habe ich, sosehr ich mich auch bemüht habe wegzuhören, immer auf dieses leise, schabende Geräusch von seinen Hausschuhen horchen müssen. Hat mich ganz verrückt gemacht, manchmal musste ich mir die Ohren zuhalten, um ihn nicht anzuschreien.

Es hat also schon ganz früh angefangen. Ich habe gedacht, es hört irgendwann auf, es hört auf, wenn ich den Menschen finde, den ich wirklich mag, so ganz und gar, mit all seinen Fehlern. Dass mich meine Eltern wahnsinnig gemacht haben, ist doch ganz natürlich, nicht?

Mit 16 habe ich mich zum ersten Mal verliebt. Er war 18 und hatte ganz große braune Augen. Die Haare trug er lang, er hatte so ganz feines Babyhaar, das habe ich ihm immer gebürstet. Ich hätte alles für ihn getan. Als er zur Bundeswehr eingezogen wurde und in der Heide stationiert war, bin ich von zu Hause weggelaufen und habe mir ein Zimmer in Lüneburg genommen, um in seiner Nähe zu sein. In einer Bäckerei habe ich gearbeitet, um das Zimmer bezahlen zu können. Der Geruch von frischem Brot saß mir in den Kleidern, im Haar, ich konnte duschen, sooft ich wollte, ich wurde ihn einfach nicht mehr los, und Brot konnte ich auch keins mehr essen.

Er war sehr lieb zu mir. Zu unserem einjährigen

Jubiläum hat er mir ein Paar wirklich teure Ohrringe geschenkt. Ich hätte zufrieden sein können.

Und dann verlor er seine Haare. Obwohl er erst 19 war. Sie wurden immer dünner, und dann wurden sie fettig. Ich wusch sie ihm jeden Tag, und trotzdem waren sie fettig. Irgendwann haben sie mich an alte Spaghetti erinnert. Ich konnte ihm nicht mehr über den Kopf streichen, ohne mir sofort danach die Hände zu waschen. Das habe ich heimlich gemacht, ich wollte ihn nicht verletzen. Zu einem Bürstenhaarschnitt habe ich ihn überredet, Fotos aus Illustrierten von Männern mit ganz kurzen Haaren habe ich ausgeschnitten und sie ihm gezeigt, bis er zum Friseur gegangen ist. Es hat auch geholfen, allerdings nur kurze Zeit, bis er von der Bundeswehr entlassen wurde, da hat er sich geschworen, nie mehr die Haare kurz zu tragen, weil ihn das an die Armee erinnerte. An dem Tag, an dem er um meine Hand angehalten hat, hingen sie ihm schon wieder in fettigen Strähnen bis auf den Kragen. Vielleicht hätte er mich am Morgen fragen sollen. Wenn sie frisch gewaschen waren, war's ja nicht so schlimm. Er war ein wirklich lieber Kerl.

Danach hat mir lange kein Mann mehr so richtig gefallen. Schon nach dem zweiten oder dritten Abend wusste ich, ich würde ihn irgendwann hassen wegen seiner feuchten Aussprache oder wegen der Art, wie er an seinem Schnurrbart zwirbelte, wegen seiner Angewohnheit, den obersten Hemdknopf geschlossen zu tragen oder ständig die Hose hochzuziehen.

Ich bin eben kritisch. Auch mit mir. Eine Schönheit bin ich nicht, meine Beine sind zu kurz, also trage ich keine kurzen Röcke, mein Mund ist schief, also schminke ich ihn so, dass es weniger auffällt, mein Gesicht ist ein bisschen zu rund, deshalb würde ich mir nie die Haare abschneiden. Unangenehme Angewohnheiten habe ich, glaube ich, nicht. Und wenn ich eine an mir entdecke, zum Beispiel fasse ich mir, wenn ich unsicher bin, immer ans Ohr, versuche ich, sie abzustellen. Ich werde nie fett werden. Ein Pfund zu viel auf den Rippen macht mich schon ganz krank, und ich fühle mich erst wieder wohl, wenn ich es mir abgehungert habe. Möchte nicht jede Frau schön sein?

Schöne Männer mag ich nicht. Sie machen mich misstrauisch, weil sie glauben, dass sie alles haben können, nur weil sie mit einem hübschen Gesicht geboren worden sind. Dafür können sie schließlich nichts.

Mit Berthold war das anders. Er wusste gar nicht, wie schön er war. Lange habe ich auf den Moment gewartet, wo mich irgendetwas an ihm stören würde. Ich war sehr vorsichtig. Als ich ihn nach einem halben Jahr immer noch makellos fand, haben wir geheiratet. Ich konnte mich nicht sattsehen an ihm. Morgens habe ich ihm zugesehen, wie er sich gewaschen und rasiert hat, alles, einfach alles an ihm habe ich gemocht. Er konnte völlig geräuschlos einen Apfel essen, kein einziges Mal habe ich ihn mit fettigen Haaren erwischt, immer sah er elegant aus, selbst wenn er Schnupfen hatte, war er attraktiv. Er war so attraktiv, dass ich mir Mühe geben musste, mit ihm Schritt zu halten. Nie zuvor habe ich mich so schön gefunden wie mit ihm. Selbst gegen Kinder hätte ich damals nichts gehabt, obwohl ich mich manchmal gefragt habe, ob ich sie so hätte mögen können, wie man ja eigentlich seine Kinder mögen soll. Man kann sie sich ja schließlich nicht aussuchen. Berthold habe ich mir ausgesucht.

Und es wäre nie geschehen, wenn er nicht befördert worden wäre und seine Mittagspause plötzlich so lang war, dass er zum Essen nach Hause kam. Wir haben natürlich immer zusammen gefrühstückt, und abends gab es Brot mit Aufschnitt. Und sonntags haben wir das Mittagessen einfach ausgelassen. Unter der Woche habe ich mir ab und zu etwas gekocht, aber nie für ihn, denn er kam ja immer erst abends, und da wollte er nichts Warmes, weil er Angst um seine Linie hatte. Er ging auch nicht gern aus, weil er mit seinen Geschäftspartnern oft genug essen gehen musste. Und jetzt kam er also jeden Mittag nach Haus. Ich habe es sofort gemerkt. Er hat das ganze Essen auf seinem Teller zu einem Berg zusammengeschoben und zu einem Brei verrührt. Ich habe gemerkt, wie mir ganz plötzlich kalt wurde, eisig kalt, dabei war es im Sommer, und wir haben auf der Terrasse gegessen. Immer wenn er mit der Gabel in diesen Brei stach, gab es einen schmatzenden Laut, immer wieder und wieder. Er hat mich gefragt, ob ich denn gar keinen Hunger hätte, und ich bin schnell aufgestanden und ins Bad gelaufen. Ich hatte Angst.

Mit abgewendetem Gesicht habe ich später die Reste von seinem Brei in die Küche getragen, aber es hat nichts geholfen. Er lag auf dem Sofa für ein kurzes Mittagsschläfchen, ich wollte mich neben ihn legen und ein paar Minuten so mit ihm dösen, die ganze Geschichte vergessen, aber ich konnte nicht. Ich habe es genau vor mir gesehen, wie er die Gabel mit dem Brei in den Mund schiebt, runterschluckt, wie jetzt der Brei in seinem Magen liegt und vor sich hin gärt. Es hat mich vor Ekel geschüttelt. Suppen habe ich von da an gekocht, bis er sich darüber beklagt hat, Steaks und Salat, das habe ich damit gerechtfertigt, dass ich unbedingt abnehmen müsse und es ihm vielleicht nichts ausmachen würde, mich dabei zu unterstützen. Ich wollte meine Ehe retten. Nach drei Wochen wollte er partout keinen Salat mehr essen, er sei kein Kaninchen, hat er gesagt, und ich sei schon so dünn, dass es nicht mehr schön sei. Königsberger Klopse mit Kartoffelbrei hat er sich gewünscht, und allein bei dem Gedanken daran kamen mir die Tränen. Er hat angefangen, mich zu kritisieren. Ich hätte nichts anderes als meine Linie im Kopf, und künftig wolle er selber kochen.

Wenn er sich mittags in die Küche gestellt hat, bin ich ins Schlafzimmer gegangen, bis er mit dem Essen fertig war. Er hat mich gebeten, ihm doch wenigstens Gesellschaft zu leisten. Einmal noch habe ich es versucht. Erbsen, Kartoffeln und Geschnetzeltes aus der Büchse lagen auf seinem Teller. Als er seine Gabel nahm und alles zusammengerührt hat, habe ich versucht, woandershin zu sehen. Aber das Geräusch habe ich gehört.

Von da an hat mich alles an ihm gestört. Wie er aß, so war er auch. Immer etwas wirr in seinen Gedanken, er sprach die Sätze nicht zu Ende, es kam mir vor, als würde er alles, was er dachte, in seinem Gehirn zu einem Brei zusammenrühren, mit der Gabel hineinstechen und mich damit füttern. Ich konnte ihm nicht mehr zuhören, ihn nicht mehr ertragen.

Mittags bin ich aus dem Haus gegangen. Abends ins Bett geflohen, bevor er nach Hause kam. Morgens aufgestanden, wenn er schon zur Arbeit gegangen war. Er hat mich angefleht, ihm doch zu sagen, was los sei.

Einmal habe ich geträumt, ich läge neben ihm im Bett, und plötzlich habe ich etwas Warmes, Feuchtes auf meiner Haut gespürt, und als ich mich umgedreht habe, habe ich gesehen, wie sein Bauch aufgeplatzt war und ein dicker, gelblichgrüner Brei aus ihm herausfloss, immer mehr wurde, über die Bettdecke auf den Boden rann, das Zimmer füllte, aus den Fenstern quoll, immer höher stieg und drohte, mich zu ersticken. Ich muss vor Angst geschrien haben. Als ich aufwachte, hielt er mich im Arm. Seine Berührung war schlimmer als der Traum. Von da an schliefen wir getrennt. Ich weiß nicht, wer von uns beiden unglücklicher war.

Eines Tages kam er früher nach Hause, und ich stand in der Küche, um mir einen Tee zu kochen. Er schloss die Tür ab und sagte, er müsse mit mir reden. So könne er nicht weiterleben. Er fing an, eine Tüte Tiefkühlspinat aufzutauen. Zwei Eier schlug er in die Pfanne. Es komme ihm vor, als sei ich vor ihm auf der Flucht. Er rührte Kartoffelbreipulver in heiße Milch. Ich versuchte, aus dem Fenster zu sehen und an etwas anderes zu denken.

Er nahm mich am Arm und zwang mich, mich hinzusetzen. Lange rührte er sein Essen nicht an.

Er sprach von Liebe. Ich habe es wirklich versucht. Mit all meiner Kraft habe ich es versucht. Ich habe ihm gesagt, dass ich ihn eigentlich auch liebe. Er schwieg und sah mich lange an. Dann nahm er die Gabel. Kartoffelbrei, Spinat und Spiegeleier. An mehr kann ich mich nicht erinnern. Sie haben mir vor Gericht ein langes Messer gezeigt in einer Plastiktüte.

Nachweis

Jakob Arjouni (*8. Oktober 1964, Frankfurt am Main)
Ringo. Copyright © Jakob Arjouni. Abdruck mit freundlicher Genehmigung des Autors

Paul Auster (*3. Februar 1947, Newark, New Jersey)
Zwiebelkuchen. Aus dem Amerikanischen von Werner Schmitz. Aus: Paul Auster, *Das rote Notizbuch.* Copyright © 1996, 2001 by Rowohlt Taschenbuch Verlag GmbH, Reinbek. Abdruck mit freundlicher Genehmigung

Julian Barnes (*19. Januar 1946, Leicester)
Ein kochender Spätzünder. Aus dem Englischen von Gertraude Krueger. Aus: Julian Barnes, *Fein gehackt und grob gewürfelt.* Titel der Originalausgabe: The Pedant in the Kitchen. Copyright © 2003 by Julian Barnes. Copyright © 2004 by Verlag Kiepenheuer & Witsch, Köln. Abdruck mit freundlicher Genehmigung

T. C. Boyle (*2. Dezember 1948, Peekskill/New York)
Erbärmlicher Fugu. Aus dem Amerikanischen von Werner Richter. Aus: T. C. Boyle, *Wenn der Fluss voll Whisky wär.* Copyright © 1991 by Carl Hanser Verlag, München. Abdruck mit freundlicher Genehmigung

Anton Čechov (17. Januar 1860, Taganrog – 15. Juli 1904, Badenweiler)
Sirenenklänge. Aus dem Russischen von Georg Schwarz. Aus: Anton Čechov, *Die Steppe, Erzählungen 1887–1888.*

Diogenes Verlag, Zürich 1976. Die Übersetzung erschien erstmals 1965 bei Rütten & Loening in *Das schwedische Zündholz, Kurzgeschichten und frühe Erzählungen*. Copyright © by Aufbau Verlag GmbH & Co. KG, Berlin 1965

Doris Dörrie (*26. Mai 1955, Hannover)

Mit Messer und Gabel. Aus: Doris Dörrie, *Was wollen Sie von mir?* Copyright © 1989 by Diogenes Verlag, Zürich

Jaroslav Hašek (30. April 1883, Prag – 3. Januar 1923, Lipnice nad Sázavou)

Gerettet. Aus dem Tschechischen von Grete Reiner. Aus: *Das Hašek Lesebuch*. Copyright © 2008 by Diogenes Verlag, Zürich

Patricia Highsmith (19. Januar 1921, Fort Worth/Texas – 4. Februar 1995 Locarno/Tessin)

Bekenntnisse einer ehrbaren Küchenschabe. Aus dem Amerikanischen von Melanie Walz. Aus: Patricia Highsmith, *Kleine Mordgeschichten für Tierfreunde/Kleine Geschichten für Weiberfeinde*. Copyright © 2004 by Diogenes Verlag, Zürich

John Irving (*2. März 1942, Exeter/New Hampshire)

Brennbars Fluch. Aus dem Amerikanischen von Dirk van Gunsteren. Aus: John Irving, *Rettungsversuch für Piggy Sneed*. Copyright © 1993 by Diogenes Verlag, Zürich

Andrej Kurkow (*23. April 1961, St. Petersburg)

Forelle à la tendresse. Aus dem Russischen von Angelika Schneider. Aus: Andrej Kurkow, *Herbstfeuer*. Copyright © 2007 by Diogenes Verlag, Zürich

Donna Leon (*28. September 1942, New Jersey)

Wie ich zum ersten Mal Schafsauge aß. Aus dem Amerikanischen von Christa E. Seibicke. Aus: Donna Leon, *Über Venedig, Musik, Menschen und Bücher*. Copyright © 2005 by Diogenes Verlag, Zürich

Loriot, eigentlich Bernhard-Viktor Christoph-Karl von Bülow (*12. November 1923, Brandenburg an der Havel)
Spaghetti. Aus: *Loriots dramatische Werke.* Copyright © 1983 by Diogenes Verlag, Zürich

William Somerset Maugham (25. Januar 1874, Paris – 16. Februar 1965, Saint-Jean Cap Ferrat/Nizza)
Die drei dicken Damen von Antibes. Aus dem Englischen von Wolfgang und Claudia Mertz. Aus: W. Somerset Maugham, *Der Rest der Welt, Gesammelte Erzählungen II.* Copyright © 2005 by Diogenes Verlag, Zürich

Anthony McCarten (*1961, New Plymouth)
Tisch 3b. Aus dem Englischen von Manfred Allié und Gabriele Kempf-Allié. Abdruck mit freundlicher Genehmigung des Autors. Copyright © 2010 by Diogenes Verlag, Zürich

Ian McEwan (*24. Juni 1948, Aldershot)
Schokolade (Titel vom Herausgeber). Aus dem Englischen von Michael Walter. Auszug aus: Ian McEwan, *Der Trost von Fremden.* Copyright © 1983 by Diogenes Verlag, Zürich

Ingrid Noll (* 26. September 1935, Shanghai)
Fisherman´s Friend. Aus: Ingrid Noll, *Falsche Zungen.* Copyright © 2004 by Diogenes Verlag, Zürich

Amélie Nothomb (*13. August 1966, Kobe/Japan)
Biographie des Hungers. Aus dem französischen von Brigitte Große. Auszug aus: Amélie Nothomb, *Biographie des Hungers.* Copyright © 2009 by Diogenes Verlag, Zürich

Saki, eigentlich Hector Hugh Munro (18. Dezember 1870, Akyab/Burma – 13. November 1916, gefallen in Beaumont-Hamel/Frankreich)
Der wunde Punkt. Aus dem Englischen von Werner Schmitz. Aus: Saki, *Sämtliche Erzählungen*, Haffmanns Verlag, Zürich 1998. Abdruck mit freundlicher Genehmigung des Übersetzers

Hermann Harry Schmitz (12. Juli 1880, Düsseldorf – 8. August 1913, Bad Münster am Stein)
Was mir an der Table d'hôte in der Sommerfrische passierte. Aus: Hermann Harry Schmitz, *Buch der Katastrophen.* Copyright © 1972 by Diogenes Verlag, Zürich

Martin Suter (*29. Februar 1948, Zürich)
Das Schöne an der ›Rose‹. Aus: Martin Suter, *Business Class, Neue Geschichten aus der Welt des Managements.* Copyright © 2002 by Diogenes Verlag, Zürich

Urs Widmer (*21. Mai 1938, Basel)
Gratinierter Fisch. Aus: *Tintenfass Nr. 30.* Copyright © 2006 by Diogenes Verlag, Zürich

Leon de Winter (*26. Februar 1954, 's-Hertogenbosch)
Hoffmans Hunger. Aus dem Niederländischen von Sibylle Mulot. Auszug aus: Leon de Winter, *Hoffmans Hunger.* Copyright © 1994 by Diogenes Verlag, Zürich

Banana Yoshimoto (*24. Juli 1964, Tokio)
Kitchen. Aus dem Japanischen von Wolfgang E. Schlecht. Auszug aus: Banana Yoshimoto, *Kitchen.* Copyright © 1992 by Diogenes Verlag, Zürich